CHRISTIAN LAVENNE

ÉVELYNE BÉRARD

GILLES BRETON

YVES CANIER

CHRISTINE TAGLIANTE

studio *100*

méthode de français

niveau **1**

Nous dédions cet ouvrage à Pierre Berringer avec qui, après Tempo,
nous avons commencé à élaborer le projet Studio.

Bon vent, Pierre
Tendresse

Les auteurs

Couverture : Esperluette
Conception maquette et mise en pages : Esperluette
Photogravure : Paris PhotoComposition

© Les Éditions Didier, Paris 2001   ISBN 2-278-04988-7   Imprimé en France par I.M.E.

Studio 60 ou Studio 100 ?

L'ensemble didactique Studio propose deux formules : *Studio 60* pour une formation de 60 heures et *Studio 100* pour une durée de 100 heures, pour un public d'adultes ou de grands adolescents.

Les contenus et les progressions de ces deux méthodes sont totalement originaux. Par contre la démarche pédagogique de *Studio 60* et *Studio 100* est basée sur des principes communs.

Studio 60 comporte 3 niveaux et convient à un enseignement annuel (2 heures/ semaine), à des enseignements intensifs courts (sur un mois ou deux mois).

Studio 100 comporte deux niveaux **et convient à une utilisation en cours, trimestriels ou semestriels**. Le premier niveau de *Studio 100* a été conçu pour 100 heures de travail. Les objectifs et les contenus permettent d'acquérir un niveau de communication minimal en français. Les objectifs et les contenus ont été déterminés à partir des travaux du Conseil de l'Europe, en particulier du **Cadre européen commun de référence** : il s'agit d'utiliser la langue étrangère pour réaliser des tâches communicatives dans des situations de la vie quotidienne ou professionnelle.

Un niveau intermédiaire commun à *Studio 60* et *Studio 100* permettra aux élèves de perfectionner leur pratique du français au-delà des 180 heures d'apprentissage acquises avec *Studio 60* (niv. 1-2-3) ou *Studio 100* (niv. 1 et 2).

Savoir-faire

La progression et l'organisation des contenus dans *Studio 100* sont fondées sur l'acquisition de savoir-faire langagiers autour desquels nous avons choisi d'introduire les outils linguistiques les plus pertinents, c'est-à-dire ceux qui sont indispensables à la construction du savoir-faire global défini pour chaque parcours.

Cette méthode établit un équilibre entre compréhension, orale et écrite, et expression, orale et écrite, en privilégiant volontairement en début d'apprentissage la compréhension orale en partant du principe qu'il est nécessaire de stocker des informations en langue étrangère avant de produire.

Séquence et Parcours

Studio 100 intègre la notion de travail en séquences : une séquence pédagogique se compose d'un ensemble de séances visant l'acquisition d'un savoir-faire. Autrement dit, la séquence constitue un programme d'acquisitions permettant à l'apprenant d'atteindre un objectif donné. Dans *Studio 100*, cet objectif est adapté aux exigences de la communication : nécessité de prendre contact, de s'informer, désir de raconter, volonté de convaincre quelqu'un… C'est par rapport à l'objectif assigné à la séquence que sont mobilisés les outils linguistiques pour faire acquérir diverses compétences. La séquence est divisée en séances qui intègrent plusieurs activités dans un souci de ne pas lasser l'apprenant et de lui faire réaliser des tâches variées.

Nous avons jugé bon d'introduire la notion de parcours : le parcours est une macro-structure regroupant plusieurs séquences en vue de la mise en place d'une compétence communicative globale ; c'est donc au terme de chaque parcours qu'intervient l'évaluation.

Progression : récurrence, reprise, anticipation

Tout au long de son apprentissage, l'apprenant va découvrir et assimiler progressivement les outils linguistiques nécessaires à la réalisation de savoir-faire. Il trouvera des activités de reprise et d'anticipation (une séquence par parcours) qui lui permettront de revoir, d'affiner et de développer ses acquisitions. À l'inverse, l'apprenant sera confronté dans une première approche, à des savoir-faire à acquérir qui seront développés dans le parcours suivant de la méthode.

Studio 100 propose donc à l'apprenant d'évoluer dans une progression en spirale. Le matériel didactique intègre dans son organisation la possibilité de construire progressivement les acquisitions qui mènent à la réalisation des savoir-faire et des tâches communicatives.

Travail sur tâches et implication de l'apprenant

Studio 100 est construit sur le principe de tâches à accomplir, quelle que soit la compétence visée : compréhension et expression, orale et écrite, approche interculturelle. Ces tâches sont plutôt globales et limitées en début d'apprentissage, puis de plus en plus fines et analytiques. Les activités de *Studio 100*, qui conduisent l'apprenant à réaliser des tâches, ont été conçues pour permettre une communication authentique au sein de la classe en impliquant l'apprenant, en l'amenant à réagir en fonction de sa personnalité, à exercer sa créativité et à manifester son affectivité, en fait à parler vrai et non pas à manipuler des structures linguistiques.

Activités croisées

Les activités de *Studio 100* mettent très rapidement en jeu plusieurs compétences en passant de l'oral à l'écrit, de la compréhension à la production, ce qui correspond à la réalité du monde professionnel, scolaire et individuel, de moins en moins « monotâche », et à la fréquentation de nouvelles sources d'informations où se mêlent sans cesse l'oral, l'écrit et le visuel. *Studio 100* devrait permettre à l'apprenant de français de se sentir à l'aise face aux sources d'information actuelles.

Dans un souci de clarté, les objectifs et les contenus sont signalés en début de séquence et les compétences mises en œuvre dans chaque activité sont indiquées par des « cartouches » : découvrir, comprendre, parler, lire, écrire, connaître.

Une langue vraie

Nous nous sommes efforcés de créer des dialogues proches de l'authentique, vivants, amusants, témoignages directs de l'acte de communication.

Interculturel

Nous avons privilégié l'aspect interculturel dans la découverte de la dimension socioculturelle de la langue française. Mais il est également essentiel que l'étudiant puisse échanger sur sa propre culture, sur son environnement et sur son mode de vie. N'oublions pas que le français n'est pas utilisé uniquement en France par des francophones, mais partout dans le monde par des locuteurs parlant des langues maternelles diverses.

Évaluation

L'évaluation est intégrée à *Studio 100* : nous proposons un rendez-vous d'évaluation au terme de chaque parcours sur les différentes compétences.
La prise en compte des objectifs du DELF est au centre de la conception de *Studio 100*. Les différents niveaux de cet ensemble didactique établissent des correspondances avec les référentiels des unités du DELF et proposent des épreuves conformes à celles du DELF. Le premier niveau de *Studio 100* correspond à l'unité A1 du DELF.

Les auteurs

Passage à l'euro : vous trouverez, dans cet ouvrage, des références au franc qui avait cours légal au moment de son élaboration. Cependant, autant que possible, les francs ont été convertis en euros lors de la réimpression.

Objectifs d'apprentissage

L'objectif de ce parcours est de permettre à l'élève, dès les premières heures de son apprentissage, d'obtenir, de transmettre de l'information. Il lui faudra pour cela commencer à maîtriser les bases de la morphosyntaxe du français (masculin/féminin, singulier/pluriel, la négation, la morphologie des verbes, l'usage des prépositions, des déterminants, etc.). Nous avons cherché à éviter l'accumulation de situations où des personnages se présentent pour privilégier celles où l'on parle pour transmettre, obtenir de l'information, plus propices à des échanges réels au sein de la classe.

Séquence 1
Contacts

OBJECTIFS

Savoir-faire
- se repérer dans l'espace et le temps
- identifier les personnes
- interagir : tu / vous

Grammaire
- verbe être, verbes en « er » et quelques verbes irréguliers
- masculin / féminin
- prépositions : au / en / à + noms de villes ou de pays

Lexique
- professions
- verbes d'action

Phonétique
- intonation : questions / affirmations
- [y] / [u]

Écrit
- ponctuation

Culture(s)
- salutations

Séquence 2
Informations

OBJECTIFS

Savoir-faire
- demander, donner une information
- caractériser
- quantifier

Grammaire
- c'est un / c'est une + nom + adjectif
- masculin / féminin
- les nombres
- le singulier / le pluriel
- du / de la / des
- verbes avoir, vouloir, connaître
- les possessifs

Lexique
- alimentation

Phonétique
- [ɛ̃] / [yn]

Écrit
- repérage des marques : masculin / féminin et singulier / pluriel

Culture(s)
- gastronomie

Séquence 3
Reprise, anticipation

OBJECTIFS

Savoir-faire
- exprimer ses goûts et ses opinions
- se situer dans le temps

Grammaire
- les possessifs
- approche du passé composé
- la négation
- verbes prendre, faire, dire, ouvrir, aller au présent

Lexique
- verbes d'opinion et verbes d'action
- relations familiales
- mois de l'année, saisons

Phonétique
- intonation : opinion

Écrit
- en-têtes et fins de lettres

Culture(s)
- événements, fêtes

Séquence 4
Ici et là

OBJECTIFS

Savoir-faire
- exprimer une demande
- décrire, caractériser
- dire où

Grammaire
- les articles définis / indéfinis
- les prépositions de lieu
- le pluriel
- la négation

Lexique
- noms de lieux

Phonétique
- [s] / [z]

Écrit
- rédiger un texte descriptif
- rédiger un texte de présentation
- compréhension de documents courts

Culture(s)
- Internet
- la France multiculturelle

Ce parcours vise à fournir à l'élève les moyens syntaxiques et lexicaux lui permettant d'accéder à une expression personnelle. Il apprendra ainsi à exprimer ses goûts, son opinion, à argumenter en utilisant des moyens linguistiques très simples. La priorité donnée à ce deuxième grand objectif va toujours dans le même sens : permettre une communication authentique, personnalisée au sein de la classe en moins de 50 heures d'apprentissage.

Séquence 5
Qualités

O B J E C T I F S

Savoir-faire
• caractériser quelqu'un ou un objet
• exprimer ses goûts et son opinion

Grammaire
• les possessifs
• les démonstratifs
• le pronom relatif *qui*
• les articles :
  le / la / les
  du / de la / des
• la négation
• les mots composés

Lexique
• mots composés
• objets usuels
• jugement / opinion

Phonétique
• [p] / [b]

Écrit
• rédaction de textes de présentation

Séquence 6
Opinions

O B J E C T I F S

Savoir-faire
• exprimer goûts et opinions
• argumenter avec des mots simples

Grammaire
• verbe + nom
• verbe + infinitif
• oui / si / non /
  moi aussi / moi non plus
• les adverbes

Lexique
• loisirs / activités
• jugement / opinion

Phonétique
• [f] / [v]

Écrit
• écrire une carte postale

Culture(s)
• les loisirs

Séquence 7
Reprise, anticipation

O B J E C T I F S

Savoir-faire
• se situer dans le temps
• demander et donner l'heure
• se situer dans l'espace
• interagir : tu / vous

Grammaire
• le passé composé
• l'infinitif
• les prépositions de lieu
• les pronoms compléments

Lexique
• environnement :
  maison, objets usuels

Phonétique
• [k] / [g]
• [ã] / [ɛ̃]

Écrit
• agenda
• poème

Culture(s)
• une journée en France

Séquence 8
Arguments

O B J E C T I F S

Savoir-faire
• argumenter
• exprimer un jugement
• féliciter

Grammaire
• les pronoms compléments

Lexique
• défauts, qualités

Phonétique
• [e] / [ɛ]

Écrit
• compréhension de textes critiques
• rédiger un mot de félicitations

Culture(s)
• rites sociaux, fêtes

Globalement, ce troisième parcours a pour objectif de permettre à l'élève de manier les notions de temps (présent, passé, futur). L'approche du temps est caractéristique du principe de récurrence développé dans *Studio 100*, puisque dès le premier parcours, l'élève va découvrir le passé composé, les indicateurs de temps (présent, passé, futur). Le parcours 2 présente l'expression de l'heure, la demande d'horaire, revient sur le passé composé qui est mis en relation avec l'imparfait dans le parcours 3, où l'on propose une première approche du futur simple, repris de façon plus systématique dans le parcours 4.

Séquence 9
Tranches de vie

OBJECTIFS

Savoir-faire
• parler d'un événement passé

Grammaire
• le passé composé avec être ou avoir
• le passé composé des verbes irréguliers

Lexique
• verbes d'action

Phonétique
• phonie / graphie du son [e]

Écrit
• rédiger une carte postale (raconter)

Culture(s)
• liens sociaux

Séquence 10
Événements

OBJECTIFS

Savoir-faire
• parler d'un événement passé (suite)

Grammaire
• le passé composé négatif
• depuis / ça fait / il y a

Lexique
• verbes d'action

Phonétique
• phonie / graphie du son [ɛ] en finale

Écrit
• textes biographiques
• faits divers
• rédiger un message

Culture(s)
• quelques personnages célèbres

Séquence 11
Reprise, anticipation

OBJECTIFS

Savoir-faire
• exprimer une demande
• quantifier
• exprimer un jugement
• argumenter
• parler de l'avenir

Grammaire
• le futur (verbes en « er », être, avoir)
• le conditionnel
• le pronom « on »
• les pronoms relatifs « qui » et « que »

Lexique
• aliments, objets usuels
• unités de quantification
• appréciation d'un objet ou d'une personne
• la météo

Phonétique
• expression du doute et de la surprise

Écrit
• liste des courses
• titres de journaux

Culture(s)
• formules de politesse
• différents types d'interaction

Séquence 12
Récits

OBJECTIFS

Savoir-faire
• première approche du récit

Grammaire
• l'imparfait
• imparfait / passé composé

Lexique
• événements de la vie
• description physique

Phonétique
• [t] / [d]

Écrit
• rédiger un message suite à un appel téléphonique

Culture(s)
• nostalgie du passé
• évolution de la société
• chansons françaises

L'expression de la demande est au cœur de ce parcours (demande de renseignement, dire de faire, proposer/accepter/refuser). L'apprenant découvrira ou systématisera de nouveaux outils linguistiques tels que le conditionnel, l'impératif, les verbes pouvoir, vouloir, utilisera ses nouvelles compétences dans le cadre de la demande d'itinéraire ou d'horaire.

Séquence 13
Demandes

OBJECTIFS

Savoir-faire
- demander son chemin
- demander un horaire
- demander / donner une information
- utiliser diverses sources d'information
- organiser une demande

Grammaire
- le conditionnel
- les prépositions de lieu
- en / y
- dire où / quand / pourquoi
- les mots interrogatifs

Lexique
- localisation dans l'espace

Phonétique
- intonation de la demande

Écrit
- transmettre un programme par mél
- utiliser des informations écrites pour répondre à une demande orale
- rédiger une demande d'information

Culture(s)
- loisirs parisiens
- attitudes

Séquence 14
Consignes

OBJECTIFS

Savoir-faire
- dire à quelqu'un de faire quelque chose
- donner une consigne
- formuler une interdiction

Grammaire
- l'impératif
- les constructions verbales directes et indirectes
- pronoms compléments
- impératifs positifs / négatifs
- infinitifs positifs / négatifs
- les verbes pronominaux (présent / impératif)
- le futur

Lexique
- consignes
- interdictions

Phonétique
- intonation du reproche

Écrit
- rédiger une série de consignes
- comprendre des consignes écrites

Culture(s)
- règles sociales, interdits
- messages urbains

Séquence 15
Reprise, anticipation

OBJECTIFS

Savoir-faire
- rapporter les paroles de quelqu'un
- transmettre un message écrit à l'oral
- prendre des notes
- quantifier
- raconter
- comparer pour argumenter

Grammaire
- le discours indirect
- comparatifs / superlatifs
- les pronoms compléments
- le futur

Lexique
- activités professionnelles

Écrit
- rédiger un message
- comprendre un texte publicitaire

Culture(s)
- rythmes de vie

Séquence 16
Propositions

OBJECTIFS

Savoir-faire
- proposer / accepter / refuser
- indiquer le déroulement d'un programme

Grammaire
- les marqueurs de chronologie
- si + imparfait

Lexique
- Expression de l'acceptation et du refus
- familles de mots

Phonétique
- l'enthousiasme et l'ironie

Écrit
- répondre à un test

Culture(s)
- us et coutumes

En France ou ailleurs ?

Regardez les images et dites si c'est en France ou ailleurs.

a

b

c

d

e

f

g

h

image(s)	où ?
	En France
	Au Japon
	Aux États-Unis
	En Inde
	En Égypte

Amour toujours

Écoutez les enregistrements et dites lequel est en français.

Le mur des « Je t'aime », Paris.

Bonjour le monde

Regardez les photos et dites dans quel pays on se salue de cette façon.

a

b

c

d

Chansons de France

Écoutez les mélodies et dites si vous connaissez la chanson.

a

b

Musiques d'ailleurs

**Ces chansons sont très connues en France.
D'où viennent-elles ?**

Paris cosmopolite

Ces photos ont été prises à Paris. Dites quel pays elles évoquent.

a

b

c

En classe de français

Écoutez et identifiez les phrases entendues.

enr.	
	Vous pouvez répéter ?
	Vous comprenez ?
	Je ne comprends pas.
	Écoutez !
	C'est difficile.
	Bravo !
	C'est bien.
	C'est facile.

Vous comprenez ?

Lisez les mots et mettez une croix devant ceux que vous comprenez.

- le métro
- le cinéma
- un hôtel
- le restaurant
- l'université
- le téléphone
- facile
- un rendez-vous
- la télévision
- un aéroport
- un agenda
- un visa
- un garage

OBJECTIFS

Savoir-faire
- se repérer dans l'espace et le temps
- identifier les personnes
- interagir : tu / vous

Grammaire
- verbe être, verbes en « er » et quelques verbes irréguliers
- masculin / féminin
- prépositions : au / en / à + noms de villes ou de pays

Lexique
- professions
- verbes d'action

Phonétique
- intonation : questions / affirmations
- [y] / [u]

Écrit
- ponctuation

Culture(s)
- salutations

 *DÉCOUVRIR*

Une journée en France

Écoutez et associez une image à chaque enregistrement.

a

b

c

d

e

f

g

h

i

🎧	image
1	
2	
3	
4	
5	
6	
7	
8	
9	

COMPRENDRE

Ça se passe quand ?

Écoutez et remplissez la grille.

– *Il fait beau, ce matin !*

b

c

d

e

f

🔊
le matin
à midi (12 h)
l'après-midi
le soir
la nuit
à minuit (0 h)

Phonétique

❶ Écoutez les enregistrements
et dites si l'intonation est montante (↗)
ou descendante (↘) puis répétez.

🔊	↗	↘
1		
2		
3		
4		
5		
6		
7		
8		
9		
10		

❷ Écoutez et dites si vous avez entendu
deux phrases différentes ou la même phrase
répétée.

🔊	phrases différentes	phrases répétées
1		
2		
3		
4		
5		
6		
7		
8		
9		
10		
11		
12		

 COMPRENDRE  PARLER

Qui est-ce ?

Écoutez les enregistrements et indiquez le nom et la profession de chaque personne.

– *Allô ? Je voudrais parler au directeur commercial.*
– *C'est moi, Isabelle Lechef, je vous écoute…*

a la pharmacienne

b la secrétaire

c le médecin

d le pilote

e le boucher

f le garagiste

être **pour se présenter ou identifier quelqu'un**	
je suis	*je suis pilote*
tu es	*tu es secrétaire*
il est, elle est	*elle est médecin*
nous sommes	*nous sommes étudiants*
vous êtes	*vous êtes garagiste(s)*
ils sont, elles sont	*ils sont pharmaciens*

s'appeler

je m'appelle
tu t'appelles
il/elle s'appelle
nous nous appelons
vous vous appelez
ils/elles s'appellent

 COMPRENDRE   PARLER

> *– Je peux vous poser quelques questions ? C'est pour le journal* Le Monde.

Qu'est-ce qu'ils font ?

Écoutez et trouvez la profession de chaque personnage.

a

b

c

d

e

f

Grammaire

masculin / féminin

C'est différent	**C'est pareil**
En français, certains mots ont des formes différentes, selon qu'ils sont masculins ou féminins :	Beaucoup d'adjectifs sont identiques au masculin et au féminin :
– les articles : *le / la, un / une.*	*Il est sympathique / Elle est sympathique, Il est suisse / Elle est suisse.*
– certains pronoms : *il / elle, ils / elles.*	Des noms comme *professeur, médecin* n'ont pas de féminin.
– certains adjectifs : *français / française, italien / italienne, beau / belle, grand / grande.*	D'autres sont identiques au masculin et au féminin : *le secrétaire / la secrétaire.*
Certains noms (mais pas tous) désignent des hommes ou des femmes : *un boulanger / une boulangère, un instituteur / une institutrice.*	

Remarque : Parfois, vous devrez utiliser des mots différents pour désigner un homme ou une femme :
un garçon / une fille, le père / la mère, un homme / une femme.

Exercice

Écoutez et complétez avec il est ou elle est.

1. Je te présente Pierre. .... professeur.
2. Claude ? .... journaliste.
3. C'est André Laurent. .... médecin.
4. .... garagiste. Il habite à Rouen.
5. .... où, Sophie ?

6. .... très sympathique, Joseph.
7. Maria, ... espagnole ?
8. Claudine ? .... à Paris.
9. C'est Patrick Leroy, ... architecte.
10. .... là, Henri ?

Où sont-ils ?

Écoutez et dites où se trouve chaque personnage.

a | b | c | d

– *Allô Yacine ! C'est Claudine ! Claudine Morel ! Devine où je suis !*

Grammaire

dire où (ville, pays)

à + nom de ville

à Bordeaux
à Madrid
à Buenos Aires

au + nom de pays masculin

au Brésil (le Brésil)
au Mexique (le Mexique)
au Liban (le Liban)
au Japon (le Japon)

en + nom de pays féminin

en Pologne (la Pologne)
en Grèce (la Grèce)
en Espagne (l'Espagne)
en Italie (l'Italie)

Remarque : les pays masculins qui commencent par une voyelle se construisent avec **en** :
en Iran (l'Iran), en Afghanistan (l'Afghanistan), en Équateur (l'Équateur), en Uruguay (l'Uruguay)

 LIRE  PARLER

Où habitent-ils ?

Regardez le carnet d'adresses et dites où les personnes habitent.

ÉGYPTE • Heure locale : + 2 h
00 ▸ 20 ▸ Indicatif de la ville ▸ Numéro
Alexandrie 3
Le Caire 2
Louksor 95
Suez 62

MEXIQUE • Heure locale : – 6 h
00 ▸ 52 ▸ Indicatif de la ville ▸ Numéro
Acapulco 74
Chihuahua 14
Mexico 5
Vera Cruz 29

BRÉSIL • Heure locale : – 2 h – 3 h
00 ▸ 55 ▸ Indicatif de la ville ▸ Numéro
Belo Horizonte 31
Fortaleza 88
Rio de Janeiro 21
São Paulo 11

GRÈCE • Heure locale : + 2 h
00 ▸ 30 ▸ Indicatif de la ville ▸ Numéro
Athènes 1
Larissa 41
Thessalonique 31
Kalamata 721

CARNET D'ADRESSES

Flora Moreira 55 21 230 450
Sergio Antunes 55 11 14 53 92
Irma Valera 525 836 37 34
Spyros Papadimitriou 30 31 28 60 12
Kahagonu 676 45 12 01
Nasr Al Khader 20 2 59 35 14
Anna Krakowska 48 22 40 65 78

TONGA • Heure locale : + 13 h
00 ▸ 676 ▸ Numéro
POLOGNE • Heure locale : + 1 h
00 ▸ 48 ▸ Indicatif de la ville ▸ Numéro
Varsovie 22
Gdansk 58
Katowice 32

PARLER

Dur pour le conférencier !

Regardez l'image et dites ce que fait chaque personnage qui assiste à la conférence.

Exercice : au / en + nom de pays

Complétez en choisissant :

1. J'habite à Varsovie, en ....
   - ▪ Pologne ▪ Hongrie ▪ Bulgarie

2. Elle travaille à São Paulo, au ....
   - ▪ Portugal ▪ Pérou ▪ Brésil

3. Au ...., on parle espagnol.
   - ▪ Brésil ▪ Venezuela ▪ Japon

4. Elle est grecque, mais elle vit en ....,
   à Strasbourg.
   - ▪ France ▪ Allemagne ▪ Suisse

5. Je suis à Venise, en ....
   - ▪ Espagne ▪ Italie ▪ Autriche

6. Lima, c'est au ....
   - ▪ Guatemala ▪ Mexique ▪ Pérou

Quelques verbes au présent

lire	écrire	dormir
je lis	j'écris	je dors
tu lis	tu écris	tu dors
il/elle lit	il/elle écrit	il/elle dort
nous lisons	nous écrivons	nous dormons
vous lisez	vous écrivez	vous dormez
ils/elles lisent	ils/elles écrivent	ils/elles dorment

On peut construire tous les verbes en *er* sur
ce modèle :
téléphoner : je téléphone, tu téléphones,
il téléphone, nous téléphonons, vous téléphonez,
ils téléphonent.
écouter : j'écoute, tu écoutes, il écoute,
nous écoutons, vous écoutez, ils écoutent.
manger : je mange, tu manges, il mange,
nous mang**e**ons, vous mangez, ils mangent.
habiter : j'habite, tu habites, il habite,
nous habitons, vous habitez, ils habitent.

 **COMPRENDRE**  **CONNAÎTRE**

– *On se tutoie ?*
– *Si tu veux.*

On se tutoie ?

Regardez les images et dites si vous pensez qu'ils se disent **tu** ou **vous**, puis écoutez les enregistrements.

a

b

c

d

e

f

D'UN MONDE À L'AUTRE

Le monde du « tu » et le monde du « vous »

Observons quelques instants deux personnes qui se disent *tu* et deux personnes qui se disent *vous*.
On remarque rapidement qu'il s'agit de deux mondes différents.

Gestes et comportements

Les uns s'embrassent, les autres se serrent la main. Les uns rient, plaisantent, les autres sont plus formels. Les uns sont amis, parents, du même

âge ou font partie d'un groupe. Les autres ne se connaissent pas, sont collègues, ou sont liés par un rapport hiérarchique.

Langage

Ils n'utilisent pas les mêmes mots. Les uns disent *copain, copine, prof, fac, ciné, bagnole, sympa, chouette, salut, ciao.* Les autres utilisent des mots du dictionnaire, beaucoup plus longs, et disent *ami, amie, professeur, faculté, cinéma, voiture, sympathique, superbe, bonjour, au revoir.* Les uns ne respectent pas toutes les règles de grammaire, ne prononcent pas tout et disent « je sais

pas », « c'est pas grave », « i pleut », « tu vas bien ? ».
Les autres disent « je ne sais pas », « ce n'est pas grave », « il pleut », « comment allez-vous ? ». Les uns s'appellent par leur prénom : « Salut Jérémie ! ». Les autres s'appellent par leur nom et se disent *Monsieur, Madame, Mademoiselle* : « Bonjour, Monsieur Marchand. » et utilisent des formules compliquées comme « Enchanté de faire votre connaissance ».

Peut-on changer de monde ?

Heureusement, c'est possible. Il existe une formule magique pour passer du *vous* au *tu* : « On se tutoie ? »

19

 **COMPRENDRE**   **LIRE**    **ÉCRIRE**

Point, virgule

❶ Écoutez et choisissez le texte qui correspond à l'enregistrement.

■ Vous êtes étudiant ou étudiante ? Vous voulez perfectionner votre français ?
Je suis professeur. Je donne des cours particuliers. Téléphonez-moi au 526 32 32,
de 9 h à 12 h ! J'organise aussi des séjours linguistiques en France.
Ça vous intéresse ? Appelez-moi !

■ Vous êtes étudiant ou étudiante. Vous voulez perfectionner votre français !
Je suis professeur, je donne des cours particuliers : téléphonez-moi ! Au 526 32 32
de 9 h à 12 h. J'organise aussi des séjours linguistiques en France.
Ça vous intéresse ! Appelez-moi.

❷ Écoutez et récrivez le texte suivant. Rétablissez la ponctuation et les majuscules.

bonjour je m'appelle clémentine je suis étudiante je parle anglais espagnol
et un petit peu portugais j'habite à rennes en bretagne je cherche un correspondant
étranger vous voulez connaître ma région alors écrivez-moi je vous donne
mon adresse clémentine legoedic 26 rue d'armor 35000 rennes

Phonétique : [y] / [u]

Dites si vous avez entendu [y] ou [u].

🔊	[y]	[u]
1		
2		
3		
4		
5		
6		
7		
8		
9		
10		

Phonétique : [y]

Écoutez, dites si vous avez entendu le son [y], puis répétez chaque phrase.

🔊	j'ai entendu [y]	je n'ai pas entendu [y]
1		✓
2	✓	
3	✓	
4	✓	
5		
6	✓	
7		
8		✓
9		
10		

OBJECTIFS

Savoir-faire
- demander, donner une information
- caractériser
- quantifier

Grammaire
- c'est un / c'est une + nom + adjectif
- masculin / féminin
- les nombres
- le singulier / le pluriel
- du / de la / des
- verbes avoir, vouloir, connaître
- les possessifs

Lexique
- alimentation

Phonétique
- [ɛ̃] / [yn]

Écrit
- repérage des marques : masculin / féminin et singulier / pluriel

Culture(s)
- gastronomie

DÉCOUVRIR

Mais qu'est-ce qu'elle veut ? Qu'est-ce qu'elle cherche ?

Écoutez et identifiez l'image (lieu ou objet) correspondant à chaque demande.

– *Je voudrais une grammaire.*
– *Je vous conseille la Grammaire utile, c'est très bien.*

a

b

c

d

e

f

Séquence 2

COMPRENDRE

Des questions ?

Écoutez et identifiez la question entendue.

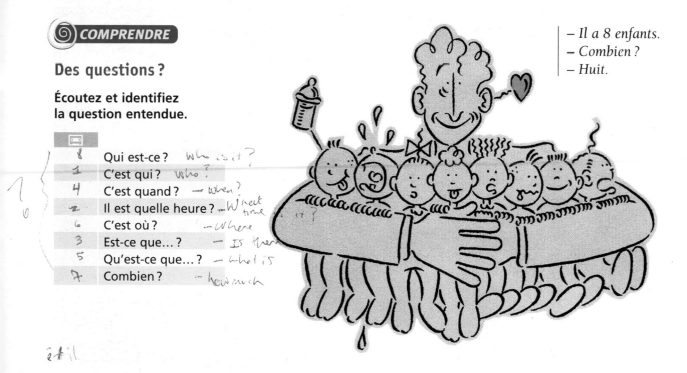

– Il a 8 enfants.
– Combien ?
– Huit.

8	Qui est-ce ?
1	C'est qui ?
4	C'est quand ?
2	Il est quelle heure ?
6	C'est où ?
3	Est-ce que… ?
5	Qu'est-ce que… ?
7	Combien ?

Exercice : questions / réponses

Trouvez les questions qui correspondent aux réponses.

1. C'est un ami.
2. Il est onze heures vingt-cinq.
3. Un café et un croissant.
4. 22 euros.
5. C'est ici.
6. C'est une spécialité bretonne.
7. C'est le 28 septembre.
8. Non, je suis suisse.

Phonétique : un / une

Écoutez et dites si vous avez entendu un ou une.

	un	une
1		
2		
3		
4		
5		
6		
7		
8		
9		
10		

avoir	vouloir
j'ai	je veux
tu as	tu veux
il/elle a	il/elle veut
nous avons	nous voulons
vous avez	vous voulez
ils/elles ont	ils/elles veulent

Pour demander :
je voudrais…

Grammaire

c'est un / c'est une + nom + adjectif

Avec **c'est un / c'est une**, vous pouvez donner une ou plusieurs informations concernant quelque chose ou quelqu'un :

Une information :
*C'est une **actrice**.*

Deux informations :
*C'est un **acteur italien**.*
*C'est une **spécialité brésilienne**.*

Et même trois informations :
*C'est une **jolie petite ville** du Sud de la France.*

22

PARLER CONNAÎTRE

Made in France

❶ Regardez et dites ce qui est français.
❷ Identifiez ce qui n'est pas français.

A. EINSTEIN

NICOLAS COPERNIC

H. POINCARÉ

E. DELACROIX

F. KAHLO

PETRVS BREVGEL

PARLER    **CONNAÎTRE**

Bon appétit !

Regardez la carte et essayez de définir les spécialités en vous servant du document puis dites ce que vous connaissez personnellement.

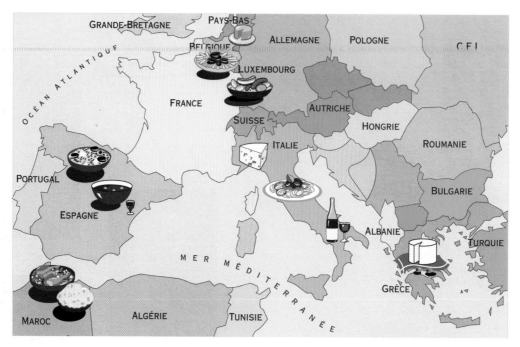

connaître = to know (familiar with)

connaître
je connais
tu connais
il/elle connaît
nous connaissons
vous connaissez
ils/elles connaissent

Exercice : masculin / féminin

Dites si on parle d'un homme, d'une femme ou si on ne sait pas.

🔊	un homme	une femme	on ne sait pas
1			✓
2		✓	
3	✓		
4		✓	
5		✓	
6		✓	
7			✓
8	✓		
9		✓	
10		✓	

LA CURIOSITÉ EST UN BON DÉFAUT

Des questions
Une langue, ce n'est pas seulement des règles de grammaire et de vocabulaire ; c'est aussi l'apprentissage d'une culture et la possibilité d'échanges interculturels.

Manifestez votre curiosité !
Qu'est-ce que c'est, le TGV ?
Comment s'appellent les habitants de Besançon, de Lyon, de Lille ?
C'est quoi, le roquefort ?

Il y a combien d'habitants à Marseille ?
C'est vrai que les Français mangent des escargots et des grenouilles ?
Des réponses
Répondez à la curiosité de vos interlocuteurs :
La moussaka, c'est une spécialité grecque.
Le gorgonzola, c'est un fromage italien.
Il y a 1 700 000 habitants à Varsovie.
Le fado, c'est un style de chanson portugais.
Il y a plus de 300 sortes de fromages en France.
Et voilà, le dialogue est lancé...

 **COMPRENDRE**  **ÉCRIRE**

Les nombres

Écrivez les nombres que vous avez entendus.

a

– Je peux payer par chèque ?
– Oui, bien sûr. Cela fait 99 euros 50.
– 99 euros cinquante…

b

c

d

e

f

---

les nombres de 1 à 100

sur le modèle de 20, 21, 22, etc.

1 = un	11 = onze	21 = vingt et un	31 = trente et un	70 = soixante-dix
2 = deux	12 = douze	22 = vingt-deux	32 = trente-deux	71 = soixante et onze
3 = trois	13 = treize	23 = vingt-trois	33 = trente-trois, etc.	72 = soixante-douze
4 = quatre	14 = quatorze	24 = vingt-quatre	44 = quarante-quatre	80 = quatre-vingts
5 = cinq	15 = quinze	25 = vingt-cinq	45 = quarante-cinq, etc.	81 = quatre-vingt-un
6 = six	16 = seize	26 = vingt-six	56 = cinquante-six	82 = quatre-vingt-deux
7 = sept	17 = dix-sept	27 = vingt-sept	57 = cinquante-sept, etc.	90 = quatre-vingt-dix
8 = huit	18 = dix-huit	28 = vingt-huit	68 = soixante-huit	91 = quatre-vingt-onze
9 = neuf	19 = dix-neuf	29 = vingt-neuf	69 = soixante-neuf	92 = quatre-vingt-douze
10 = dix	20 = vingt	30 = trente		

100 = cent   101 = cent un   102 = cent deux, cent trois, etc.

Séquence 2

 **COMPRENDRE**   **PARLER**

C'est à vous, ça ?

Écoutez et dites si le possessif
marque la possession
ou la relation.

> – Excusez-moi, Monsieur,
>   mais c'est ma place.
>   Je suis au 24 B.
> – Excusez-moi,
>   je me suis trompé.

	possession	relation
1. le passeport		
2. la montre		
3. la banque		
4. le bureau		
5. la ville		
6. le nom		
7. les lunettes		
8. la secrétaire		
9. le quartier		
10. la voiture		

Grammaire

les possessifs

**mon, ma, mes
ton, ta, tes
votre, vos**

Pour dire que quelque chose vous appartient
(possession) : *Mon livre, ma voiture,
mes lunettes...*
Pour dire que vous êtes lié à quelque chose
ou à quelqu'un (relation) : *Mon village,
mon entreprise, ma banque, mon mari...*

Exercice : oral / écrit : le pluriel

❶ Écoutez et dites si on parle d'une personne (singulier), de plusieurs personnes (pluriel)
ou si on ne peut pas savoir (?) (tableau 1).

❷ Lisez et dites si on parle d'une personne, de plusieurs personnes
ou si on ne peut pas savoir (tableau 2).

❸ Comparez les deux tableaux.

1.

	singulier	pluriel	?
1			✓
2	✓		
3		✓	
4			✓
5		✓	
6		✓	
7			
8	✓		
9		✓	
10			

2.

	singulier	pluriel	?
1. Ils parlent français.			✓
2. Elle va très bien.			
3. Ils habitent à Montpellier.			
4. Elles travaillent beaucoup.		✓	
5. Elles sont très sympathiques.			
6. Ils sont malades.			
7. Qu'est-ce qu'ils disent ?			
8. Elle habite dans la banlieue parisienne.			
9. Où est-ce qu'elles vont ?			
10. Qu'est-ce qu'ils font ?			

Grammaire

singulier / pluriel

Verbes

Il, elle : ils, elles
*Il mange, ils mang**ent**,
elle travaille, elles travaill**ent***
Attention : aller, faire, être, avoir
ils **font**, ils **vont**, ils **sont**, ils **ont**

Noms, adjectifs :

Le, la, l' : les : ***Les** Espagnols*
Mon, ma : mes : ***Mes** parents*
***Les** jeunes enfants, **les** villes françaises*
Quand un nom est au pluriel, on ajoute
généralement un s. Tous les éléments
de la phrase concernés par le pluriel (noms,
verbes, adjectifs) doivent « s'accorder » :
***Tes** ami**es** itali**ennes** **sont** très sympathiques
et **elles** parl**ent** bien français.*

26

du / de la / de l' / des

Écoutez les dialogues et choisissez l'image puis le menu qui correspond à chaque dialogue.

 a

– *J'ai faim !*
– *Il y a du fromage dans le frigo.*
– *Je n'aime pas le fromage !*
– *Alors, il y a de la confiture.*

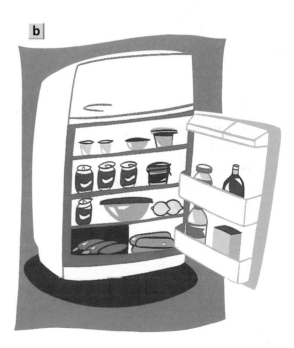 **b**

 c

PLAT DU JOUR
Poisson à la sauce provençale

À LA CARTE
Poulet sauce provençale
Boeuf sauce provençale

DESSERT
Tarte aux pommes maison

 d

PLATS DU JOUR
Côte de porc braisée
Bar rôti au genièvre

À LA CARTE
Filet de canette
Jarret de veau

DESSERT
Friand au safran
Papillotes de poires

Grammaire

du / de la / de l' / des

Pour parler d'un objet visible ou d'une chose en général :

*Passe-moi **le** pain…*
*J'aime bien **la** salade.*
*J'aime bien **les** yaourts.*

Pour parler d'une quantité imprécise :

*Tu veux **du** pain ?*
*Il y a **de la** salade.*
*Il y a **des** yaourts dans le frigo.*

Pour parler d'une quantité précise :

*Je voudrais **trois** pains.*
***Une** salade, s'il vous plaît !*
*Tu veux **un** yaourt ?*

Comment ça marche ?

Nom masculin commençant par une consonne	**du**	*du pain, du café,* etc.
Nom féminin commençant par une consonne	**de la**	*de la salade, de la confiture,* etc.
Nom masculin ou féminin commençant par une voyelle	**de l'**	*de l'eau (féminin), de l'ail (masculin)*
Nom masculin ou féminin au pluriel	**des**	*des fruits (masculin), des pommes (féminin).*

 COMPRENDRE   PARLER

Garçon !

Écoutez et choisissez le plateau qui correspond
à chaque enregistrement.

a   b

– Garçon ! Deux petits crèmes
  et deux croissants !
– Non ! Pas de crème pour moi !
  Un thé !

c   d   e

Exercice : du / de la / des

1. Tu veux du .... ? camembert ou roquefort ?
   ▪ lait ▪ pain ▪ fromage

2. – S'il te plaît, achète du ....
   – Qu'est-ce que je prends ?
   – Deux baguettes.
   ▪ pain ▪ café ▪ fromage

3. À midi, il y a de la .... verte, du poisson
   et du riz.
   ▪ tomate ▪ salade ▪ viande

4. – J'ai faim !
   – Il y a du .... dans le frigo.
   ▪ jus d'orange ▪ jambon ▪ café

5. – Tu veux du .... ?
   – Non, je ne bois pas d'alcool.
   ▪ café ▪ jambon ▪ vin

6. Comme dessert, il y a des .... : des pommes,
   des bananes et des oranges.
   ▪ fruits ▪ salades ▪ œufs

7. Tu veux du .... ? J'ai un excellent bordeaux.
   ▪ coca ▪ vin ▪ bière

8. Pour le petit déjeuner vous voulez du ....
   ou du .... ?
   ▪ café ▪ thé ▪ glace ▪ eau

9. J'ai soif. Vous avez de l'....... minérale ?
   ▪ alcool ▪ lait ▪ eau

10. – Qu'est-ce que tu veux boire ?
    – De la ....
    ▪ eau ▪ bière ▪ lait

SÉQUENCE 3

OBJECTIFS

Savoir-faire
- exprimer ses goûts et ses opinions
- se situer dans le temps

Grammaire
- les possessifs
- approche du passé composé
- la négation
- verbes prendre, faire, dire, ouvrir, aller au présent

Lexique
- verbes d'opinion et verbes d'action
- relations familiales
- mois de l'année, saisons

Phonétique
- intonation : opinion

Écrit
- en-têtes et fins de lettres

Culture(s)
- événements, fêtes

 COMPRENDRE PARLER

Vous aimez ?

Écoutez, identifiez le sujet de la conversation et dites si la personne qui parle aime ou n'aime pas.

– *Quelle horreur, cette cravate jaune !*

a

b

c

f

d

e

 PARLER

Quel bruit !

Écoutez et exprimez vos goûts personnels par rapport aux enregistrements.

L'ESPRIT CRITIQUE

Échanges

Faire connaissance, ce n'est pas seulement dire qui on est, ce qu'on fait et d'où on vient.

C'est aussi exprimer sa personnalité et découvrir celle de l'autre.

Hervé, 38 ans, informaticien résidant à Paris, 1,89 m aux yeux verts. D'esprit ouvert, j'aime la nature, les voyages, le sport, l'humour et la sincérité. Je cherche une jeune femme alter ego. Au programme : partager nos passions, rester soi-même à deux, être complices. Je refuse le poids du quotidien et je vote pour l'imagination. **(Paris) Ref. 5667507.**

Quelques mots suffisent

Pour cela, il suffit de connaître quelques verbes : *aimer, adorer, détester* et un peu de vocabulaire : « c'est bon, c'est mauvais, c'est excellent » pour s'exprimer à propos d'un plat, d'un film, d'un livre et de beaucoup d'autres choses. Avec quelques petits mots comme *très, assez, plutôt* vous pouvez rapidement ajouter des nuances : « C'est très bon », « C'est assez bon », « C'est plutôt bon ».
Vous pouvez aussi utiliser la négation : « Ce n'est pas mauvais », « Ce n'est pas très bon », « Je n'aime pas ça ».
Pour les personnes, ça fonctionne de la même façon : « Pierre est très sympathique », « Elle est gentille, ta cousine », « C'est une excellente traductrice ».

Le monde du tu

Le vocabulaire familier est très riche en expressions du jugement : « c'est

chouette », « super » et même « super chouette » pour dire que quelque chose est bien ou « c'est une nana sympa » (traduction : c'est une fille sympathique) et son équivalent masculin « c'est un mec sympa ».

✍ ÉCRIRE

Vous avez du courrier !

Lisez ces petites lettres et choisissez l'en-tête et la fin de chacune d'elles.

Choisir l'en-tête :
- Cher ami,
- Monsieur le Directeur,
- Ma chérie,
- Chère maman,

Choisir la fin :
- À bientôt, mon amour.
- Amicalement.
- Veuillez agréer l'expression de mes sentiments distingués.
- Je t'embrasse.

> Je suis à Bucarest depuis hier soir et tu me manques déjà. Je t'aime.
>
> Maxime

> Vous trouverez ci-joint le rapport concernant les résultats de notre groupe pour l'année 2001.
>
> M. Durand
> Secrétaire général

> À l'occasion de la nouvelle année, je vous présente mes meilleurs vœux.
>
> Agnès

Phonétique : appréciation positive ou négative

Écoutez et dites si l'appréciation est positive ou négative puis répétez les phrases.

	1	2	3	4	5	6	7	8	9	10
positif										
négatif										

 COMPRENDRE LIRE PARLER

Histoire de famille

Écoutez les dialogues et trouvez l'affiche de film qui correspond à la relation familiale évoquée.

– Qu'est-ce que tu fais à Noël ?
– Je vais chez mes beaux-parents.

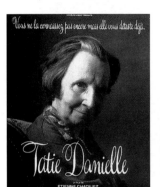

a

b

c

d

Grammaire

les adjectifs possessifs

Le choix de *mon, ton, son, ma, ta, sa* dépend du mot qui suit :
Mon, ton, son, sont suivis d'un mot masculin commençant par une voyelle ou une consonne ou d'un nom féminin commençant par une voyelle.

Ma, ta, sa sont suivis d'un mot féminin commençant par une consonne.
Avec *notre, votre, leur*, ainsi qu'au pluriel avec *mes, tes, ses et nos, vos, leurs*, ce problème n'existe pas, comme le montre le tableau suivant :

	mon, ton, son		ma, ta, sa	mes, tes, ses
pronom correspondant	nom **masculin** commençant par une **voyelle** ou une **consonne**	nom **féminin** commençant par une **voyelle**	nom **féminin** commençant par une **consonne**	au pluriel une seule possibilité : **mes, tes** ou **ses**
Je	*mon* ami *mon* frère	*mon* amie	*ma* sœur	*mes* amis, *mes* amies *mes* frères, *mes* sœurs
Tu	*ton* oncle *ton* voisin	*ton* adresse	*ta* mère	*tes* enfants, *tes* ami(e)s
Il/elle	*son* hôtel *son* père	*son* école	*sa* femme	*ses* cousins, *ses* ami(e)s
	notre, votre, leur			nos, vos, leurs
Nous	*notre* ami *notre* frère	*notre* amie	*notre* sœur	*nos* ami(e)s
Vous	*votre* hôtel *votre* père	*votre* adresse	*votre* ville	*vos* parents, *vos* enfants, *vos* filles
Ils/elles	*leur* âge *leur* travail	*leur* identité	*leur* profession	*leurs* enfants, *leurs* ami(e)s

REPRISE

PARLER

Devinez !

Écoutez les enregistrements
et dites ce que font
les personnages.

La conjugaison de quelques verbes au présent

Prendre	Faire	Dire	Ouvrir	Aller
je prends	je fais	je dis	j'ouvre	je vais
tu prends	tu fais	tu dis	tu ouvres	tu vas
il/elle prend	il/elle fait	il/elle dit	il/elle ouvre	il/elle va
nous prenons	nous faisons	nous disons	nous ouvrons	nous allons
vous prenez	vous faites	vous dites	vous ouvrez	vous allez
ils/elles prennent	ils/elles font	ils/elles disent	ils/elles ouvrent	ils/elles vont

Le verbe *prendre* permet de composer plusieurs expressions verbales :
prendre le train, le métro
prendre une douche, un bain
prendre un café.

Exercice : les possessifs

❶ Complétez en choisissant :

1. Ma .... est infirmière.
   ■ tante ■ père ■ cousin
2. Mon .... a 18 ans.
   ☒ grand-père ■ sœur ■ frère
3. – Qu'est-ce qu'elle fait, ta .... ?
   – Elle est élève au lycée Pasteur.
   Elle prépare son baccalauréat.
   ■ grand-mère ☒ sœur ■ cousin
4. – C'est son .... ?
   – Non, c'est son mari.
   ■ père ■ mère ■ femme
5. – Qu'est-ce que tu fais ?
   – Je téléphone à mon .... Allô tonton !
   ■ tante ☒ oncle ■ cousin

❷ Complétez en utilisant mon, ma ou mes :

1. .... numéro de téléphone ?
   C'est le 01 44 33 22 11.
2. Je vous présente ma fille. Elle s'appelle Aline.
3. J'ai invité mes frères et ma sœur.
4. C'est mon professeur de français. Elle est très
   sympathique.
5. Ce week-end, je vais chez mes parents, dans
   la Drôme.
6. .... prénom, c'est Laurent et .... nom, c'est
   Michel.
7. .... voiture est au garage.
8. Ma voisine est très gentille
9. .... femme ? Elle est au cinéma avec .... frère.
10. Je vous passe ma secrétaire. Elle va vous
    donner un rendez-vous.
11. Où sont mes clés ?
12. Mon français n'est pas très bon.

 **COMPRENDRE**

Présent/passé/futur

Écoutez et dites pour chaque groupe de 3 enregistrements si la conversation évoque le présent, le passé ou le futur.

Groupe 1

	présent	passé	futur
1			
2			
3			

Groupe 2

	présent	passé	futur
1			
2			
3			

Groupe 3

	présent	passé	futur
1			
2			
3			

Groupe 4

	présent	passé	futur
1	✓		
2		✓	✓
3			✓

Passé composé des verbes en « er »

Téléphoner
j'ai téléphoné
tu as téléphoné
il/elle a téléphoné
nous avons téléphoné
vous avez téléphoné
ils/elles ont téléphoné

Construction : avoir + participe passé en « é ».
parler : *j'ai parlé*   manger : *j'ai mangé*
écouter : *j'ai écouté*   travailler : *j'ai travaillé* etc.

Attention ! Le verbe *aller* et quelques verbes comme *partir, sortir,* forment leur passé composé avec être.
Je suis allé / Ils sont partis / Il est sorti

Exercice : mois et saisons

Complétez les phrases suivantes :

1. Au ...., il fait souvent très froid.
   ■ février   ✓ mois de janvier   ■ hiver

2. J'aime bien Paris au mois d'........ .
   ✓ août   ■ septembre   ■ mai

3. En ...., je travaille dans une station de ski.
   ■ été   ✓ hiver   ■ printemps

4. Il est Vierge. Il est né en ....
   ■ janvier   ■ mars   ✓ septembre

5. J'aime bien la Grèce au .... , le climat est très agréable.
   ■ automne   ■ printemps   ■ été

6. En ...., je vais à la plage. J'ai une petite maison près de Nice. J'adore le soleil et la mer.
   ■ hiver   ■ été   ■ janvier

Exercice : être et avoir

Complétez en utilisant le verbe être ou le verbe avoir.

1. J'....... froid.

2. Vous .... née en quelle année ?

3. Ils sont. mariés et ils ont deux enfants.

4. Elle a.... 26 ans.

5. Tu es. de quel signe ? Moi, je suis Capricorne.

6. Tu a.... combien d'enfants ?

7. Nous som. nés en décembre.

8. Est-ce que vous avez. le numéro de téléphone de Monsieur Legros ?

9. Nous avon des amis à Madrid. Ils son. très sympathiques.

10. Je .... née le 12 septembre 1967. J'....... 34 ans.

 COMPRENDRE   PARLER  CONNAÎTRE

Une année en France

Écoutez, identifiez l'événement et dites quand ça se passe.

— *Bonne fête Maman !*

a 14 Juillet

b Nouvel An

c Pâques

Grammaire

dire quand

Le mois

en + mois : *en juin, juillet, en décembre*
au mois de / d' + mois :
au mois de janvier, de mars, de novembre...
au mois d'août, d'avril, d'octobre...

La saison

en ou au + saison :
au printemps, en été, en automne, en hiver.

d Fête de la Musique

e 1er Mai : fête du Travail

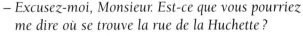

SÉQUENCE 4

OBJECTIFS

Savoir-faire
- exprimer une demande
- décrire, caractériser
- dire où

Grammaire
- les articles définis / indéfinis
- les prépositions de lieu
- le pluriel
- la négation

Lexique
- noms de lieux

Phonétique
- [s] / [z]

Écrit
- rédiger un texte descriptif
- rédiger un texte de présentation
- compréhension de documents courts

Culture(s)
- la France multiculturelle

 **DÉCOUVRIR**

Demandes

> – *Excusez-moi, Monsieur. Est-ce que vous pourriez me dire où se trouve la rue de la Huchette ?*
> – *C'est tout près d'ici. Suivez-moi. J'y vais.*

❶ **Écoutez et pour chaque dialogue, essayez de fournir les informations suivantes :**

Dites où ça se passe :
- Au téléphone
- Dans la rue
- Dans un bureau
- Dans un bar

Dites ce qui est demandé :
- Une adresse, un lieu
- Un numéro de téléphone
- Une chambre d'hôtel
- L'heure
- Une réservation dans un restaurant
- Une consommation

Dites si la demande est satisfaite ou non.

	oui	non
1		
2		
3		
4		
5		
6		

❷ **Réécoutez les dialogues et identifiez les formules entendues.**

Pour demander :
- Pardon
- Excusez-moi
- S'il vous plaît
- Je voudrais…

Pour répondre :
- Avec plaisir
- À votre service
- Bien sûr
- Désolé

Pour terminer :
- Merci
- Merci beaucoup
- Je vous remercie
- Au revoir

COMPRENDRE  LIRE ÉCRIRE

Voyage en France...

Écoutez les dialogues et complétez les textes de présentation des 4 villes citées.

Sète, petite ville touristique de 35 000 habitants, est située au sud de la France. C'est la ville natale de Georges Brassens et de Paul Valéry.

— Vivement les vacances !
— Tu vas où cette année ?
— Dans le Sud, à Sète, chez des amis.
— Je ne connais pas Sète.
— C'est une ville touristique. C'est très joli, il y a une grande plage.
— C'est grand ?
— Non, il y a 35 000 habitants en hiver mais 10 fois plus en été.

Montauban

.... est une petite ville de 5.... habitants. Elle est située dans le ......, de la France.
Sud
ouest

Lille

Lille est située au .Nor. de la France. C'est une .... de .... habitants.
180 000

Rennes

Rennes ...... ouest dans .... de la France. C'est ... Sympa... Il y a ... université....

Marseille

Marseille, ... 800 000 ....
....

C'est où ?

Écoutez les enregistrements et faites la liste des mots qui suivent à, au, à la, à l', en, dans.

à	au	à la
paris St. Germain des prés	Bresil centre ville bord de le mer	campagne poste montagne

à l'	en	dans
hôpital	banlieue subitas	un petit village dans le cevannes quel quartier

– Tu es né où ?
– À Porto Vecchio.
– Au Portugal ?
– Non, en Corse. C'est au bord de la mer, dans le sud-est de la Corse.

LIRE   PARLER

Ça se trouve où ?

Dites où on peut trouver les messages ou documents suivants.

a

b

c

d

e

f

g

h

Exercice : le / la / les / l' / un / une

Complétez en choisissant le, la, les, l', un, une.

1. Tegucigalpa ? C'est .... capitale du Honduras.
2. Nancy, c'est .... ville de l'est de la France.
3. Elle s'appelle comment, ... mère de Lucie ?
4. Je te présente Josiane, ... amie d'enfance.
5. Tu connais Joëlle, ... fiancée d'Hamid ?
6. Je suis à .... hôtel Mercure.
7. Je cherche .... hôtel au centre ville.
8. Madrid, c'est .... capitale européenne.
9. Besançon, c'est .... ville natale de Victor Hugo.
10. C'est .... maison où je suis né.

LIRE   PARLER

Marions-les !

Trouvez le plus de points communs entre les différents personnages.
Exemple : Luigi et Habiba ont 32 ans. Ils sont bruns.

Luigi
Âge : 32 ans
Profession : professeur
Nationalité : italien
Ville : Paris
Goûts : musique
Langue(s) parlée(s) : anglais
Situation familiale : marié

Touró
20 ans
étudiant
français
Lyon
cinéma
anglais / espagnol
célibataire

Jurgen
43 ans
architecte
allemand
Nice
musique
anglais / français
marié

Eva
40 ans
journaliste
allemande
Paris
cinéma
italien / anglais
mariée

Stéphanie
20 ans
mannequin
italienne
Paris
cinéma / voyages
espagnol / allemand
célibataire

Habiba
32 ans
professeur
française
Lyon
voyages
allemand / italien
célibataire

Exercice : les prépositions

Complétez les phrases en choisissant

1. Ibrahim habite .... Il travaille au Centre Georges Pompidou.
   - à Paris
   - à la campagne
   - au bord de la mer

2. Moi, j'habite .... mais je passe mes vacances à la campagne.
   - dans un village
   - en ville
   - à la montagne

3. Sylvie part ...., à Marseille.
   - dans le nord
   - dans l'ouest
   - dans le sud

4. L'année dernière, j'étais en Espagne. Cette année, je vais à Porto, ...
   - au Portugal
   - en Irlande
   - aux États-Unis

5. Jean-Pierre habite près de la tour Eiffel. Il prend le métro pour aller travailler ....
   - à Bordeaux
   - en Italie
   - à La Défense

6. Jordi parle catalan, parce qu'il habite ....
   - en Italie
   - à Barcelone
   - à Porto

7. Jacques travaille ...., à Marrakech.
   - en Syrie
   - en Égypte
   - au Maroc

8. Régine aime les moules et les frites. C'est normal, elle habite ....
   - à Florence
   - à Séville
   - à Bruxelles

L'homme de ma vie

Écoutez l'enregistrement
et identifiez la personne
mystérieuse.

– *Allô maman !*
– *Bonjour ma petite Laetitia…*
– *Maman, je suis amoureuse !*
– *Je le connais ?*
– *Oui.*

a

b

c

d

Grammaire

la négation

La négation est composée de deux mots :
ne… pas.
*Il **ne** comprend **pas**.*
*Je **ne** sais **pas**.*
Suivi d'une voyelle (a, e, i, o, u, y), ne devient n' :
*Je **n'**ai pas le temps ! Il **n'**habite pas ici.*
À l'oral, **ne** disparaît souvent :
***J'aime** pas ça* (au lieu de : *Je **n'aime** pas ça*).

Quand on passe d'une phrase positive à une
phrase négative, avec un / une / du / de l / des,
pas devient **pas de** (ou **pas d'**) :
*Elle a **des** enfants.* → *Elle n'a **pas d'**enfants.*
*Elle a **une** voiture.* → *Elle n'a **pas de** voiture.*

Exercice : la négation

Écoutez et dites si vous avez entendu
ne, n' ou ni l'un ni l'autre (Ø).

📼	ne / n'	Ø
1		✓
2		✓
3	✓	✓
4	✓	✓
5	✓	
6		✓
7	✓	
8	✓	✓
9	✓	✓
10		✓

Phonétique : [s] / [z]

Écoutez et cochez la phrase que vous avez
entendue.

1	❑ Ils ont perdu !	❑ Ils sont perdus !
2	❑ Ils s'arrêtent bientôt ?	❑ Ils arrêtent bientôt ?
3	❑ Ils s'aiment beaucoup…	❑ Ils aiment beaucoup…
4	❑ C'est du poisson.	❑ C'est du poison.
5	❑ Vous avez quelque chose ?	❑ Vous savez quelque chose ?
6	❑ Deux ans, c'est beaucoup !	❑ Deux cents, c'est beaucoup !
7	❑ Ils sont chauds.	❑ Ils ont chaud.
8	❑ C'est un très grand zoo.	❑ C'est un très grand saut.
9	❑ C'est une Russe.	❑ C'est une ruse.
10	❑ Elles sont douces.	❑ Elles sont douze.

COMPRENDRE **LIRE**

Documents

Écoutez les conversations et identifiez le document correspondant puis essayez de reconstituer les parties masquées.

– Allô, c'est pour une réservation pour un groupe de 30 personnes.

– Oui, je vous donne les horaires. C'est ouvert toute la journée de 10 à 18 heures.

– C'est possible pour demain ?

– Ah non, c'est fermé le mardi.

a

b

c

e

f

d

g

COMPRENDRE   **PARLER**

Ambiances

Écoutez les enregistrements et essayez de donner le maximum d'informations concernant chaque personnage.

COMPRENDRE   **ÉCRIRE**

Écoutez l'enregistrement et complétez la page d'accueil de Flora Moreira sur son site Internet.

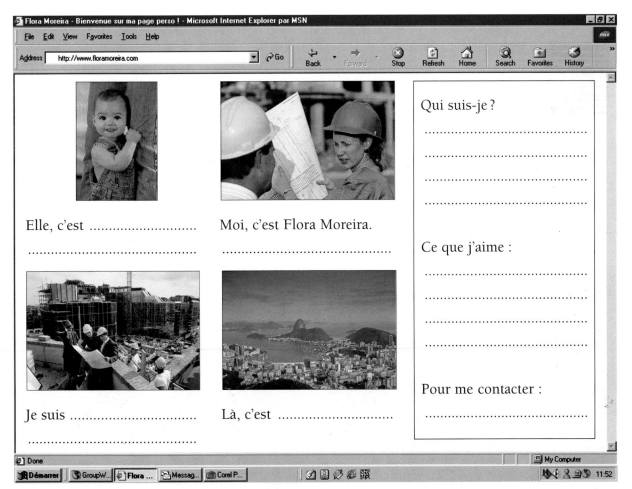

Culture(s)

La France « black, blanc, beur »

Regardez l'affiche et dites quel joueur est évoqué sur chaque maillot.

CE SOIR-LÀ, TOUS LES FRANÇAIS ONT ÉTÉ SCANDALISÉS PAR L'EXPULSION D'UN BLACK.

CE SOIR-LÀ, TOUS LES FRANÇAIS ONT RÊVÉ D'EMBRASSER UN BEUR.

CE SOIR-LÀ, TOUS LES FRANÇAIS ÉTAIENT DÉSOLÉS QUE LA RENCONTRE SE DISPUTE SANS BLANC.

N'oublions jamais qu'on peut être heureux tous ensemble en 1999

a

b

c

Campagne d'affiches de « SOS racisme », après la victoire de l'équipe de France « multiculturelle » lors de la coupe du monde de football 1998.

« beur » (familier) : mot utilisé pour désigner les Français immigrés de la deuxième génération, nés en France de parents venus des pays du Maghreb (Algérie, Maroc, Tunisie)

« black » (familier) : mot utilisé pour désigner les Français d'origine africaine ou antillaise.

Ces deux mots n'ont pas de signification xénophobe ou raciste.

Ils ont dit

Mettez en relation les textes et les personnes.

« Je ne suis pas un immigré classique… J'étais professeur de philosophie au Maroc. J'ai une mission, c'est de parler de la société marocaine dans mes romans. »

« Quand je retourne aux États-Unis, je suis exotique. Quand je suis en France, j'apporte la musique. »

« Je suis né dans une double culture. Je me considère afro-européen. »

« J'ai le sentiment que mon pays c'est l'Europe du sud. Au Portugal, j'ai un sentiment d'exotisme. »

Dee Dee Bridgewater, chanteuse, née à Memphis, USA. Elle est installée en France depuis 1986

Tahar Ben Jelloun. Écrivain, né au Maroc. Vit en France.

Manu Dibango. Musicien. Né à Douala (Cameroun) en 1933. Il vient en France faire ses études en 1949.

Luis Rego, comédien. Né à Lisbonne. Vit en France depuis 1962.

Culture(s)

Métissage linguistique : les mots venus d'ailleurs.

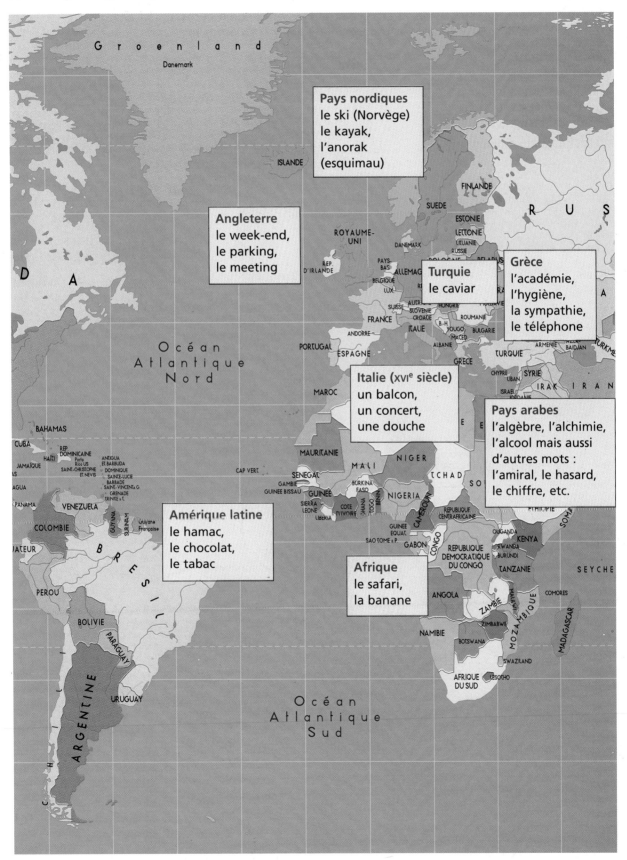

Pays nordiques
le ski (Norvège)
le kayak,
l'anorak
(esquimau)

Angleterre
le week-end,
le parking,
le meeting

Turquie
le caviar

Grèce
l'académie,
l'hygiène,
la sympathie,
le téléphone

Italie (XVIᵉ siècle)
un balcon,
un concert,
une douche

Pays arabes
l'algèbre, l'alchimie,
l'alcool mais aussi
d'autres mots :
l'amiral, le hasard,
le chiffre, etc.

Amérique latine
le hamac,
le chocolat,
le tabac

Afrique
le safari,
la banane

Culture(s)

La fin du franc

Janvier 2002, le franc français disparaît. Les échanges ont lieu en euros. 1 euro égale environ 6,56 F. Calculez (approximativement) en euros le prix de quelques objets courants.

- Un timbre poste : 3 F
- Le journal *Le Monde* : 7,50 F
- Une baguette : 4,20 F
- Un café : 10 F
- Une place de cinéma : 45 F

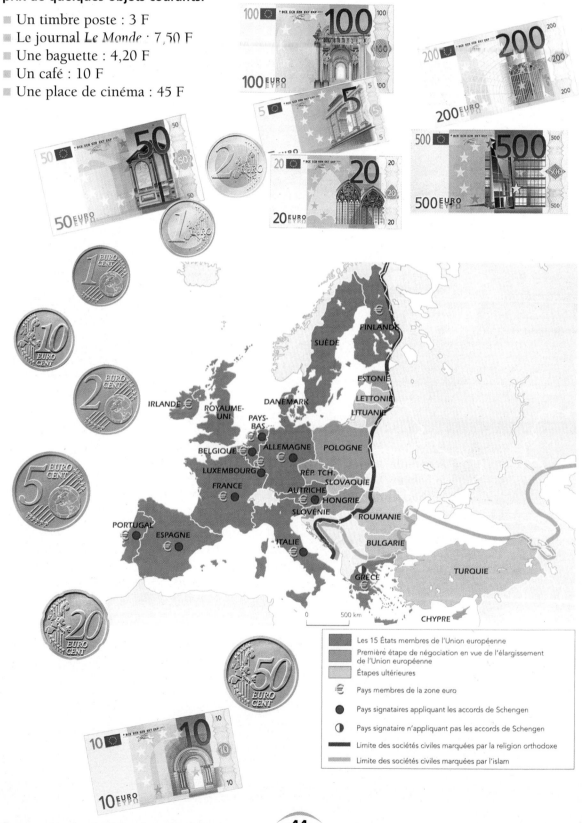

Les 15 États membres de l'Union européenne

Première étape de négociation en vue de l'élargissement de l'Union européenne

Étapes ultérieures

€ Pays membres de la zone euro

● Pays signataires appliquant les accords de Schengen

◑ Pays signataire n'appliquant pas les accords de Schengen

Limite des sociétés civiles marquées par la religion orthodoxe

Limite des sociétés civiles marquées par l'islam

Culture(s)

Dites-le avec les mains

Écoutez et identifiez les gestes ou mimiques correspondant à chaque enregistrement.

a   b   c

d   e   f

Lexique international

 Angleterre
Pour indiquer une odeur détestable, ne pas se pincer le nez, tirer dessus.

 Allemagne
Pour saluer une table entière, donner un coup sec sur la table avec la jointure des doigts.

 Bulgarie
Pour dire oui, agiter la tête d'avant en arrière, pour non, de haut en bas.

 Finlande
Comme dans beaucoup de pays, passer directement le sel est mal vu et risque : « d'attirer le malheur ».

 France
Si, pour O.K. on forme un cercle avec le pouce et le majeur, cela signifie aussi zéro ! Nuance.

 Grèce
Un Grec qui sourit n'est pas nécessairement heureux, au contraire, il peut être très en colère. S'il l'est vraiment, n'agitez surtout pas une main ouverte face à lui. C'est la pire des insultes.

 Iran
Pour montrer du respect à des parents, serrer la main de leurs enfants.

 Italie
Si on vous fait les cornes, majeur et annulaire repliés, c'est pour attirer la chance.

 Turquie
Pointer sa chaussure vers quelqu'un est une insulte. Tendre la main à plat puis la refermer, le pouce serré par l'index est le O.K. local.

 Chine populaire
Pour pointer, utiliser toute la main, et non l'index seul.

ÉVALUATION

1. Compréhension orale

Écoutez et choisissez la bonne réponse.

1. Elle s'appelle :
   - ❏ Luisa Martinez
   - ❏ Elsa Martinelli
   - ❏ Luisa Martinelli

2. Elle est :
   - ❏ libyenne
   - ❏ italienne
   - ❏ syrienne

3. Elle habite :
   - ❏ à Milan
   - ❏ à Rome
   - ❏ à Turin

4. ❏ Elle n'a pas d'enfant.
   - ❏ Elle a deux enfants.
   - ❏ Elle a quatre enfants.

5. Elle parle :
   - ❏ allemand et anglais
   - ❏ grec et un peu français
   - ❏ un peu anglais et espagnol

6. Elle est :
   - ❏ secrétaire
   - ❏ architecte
   - ❏ médecin

2. Expression orale (1)

Essayez de donner un maximum d'informations sur la personne à partir de la fiche suivante :

Nom	Dupont
Prénom	Georges
Date de naissance	21 / 09 / 68
Lieu de naissance	Le Caire (Égypte)
Nationalité	française
Situation de famille	marié
Adresse	26, rue des Roses 69 000 Lyon
Profession	informaticien

3. Expression orale (2)

Trouvez les questions qui correspondent aux réponses suivantes :

– Mon anniversaire ? C'est le 12 avril.

– Oui, c'est ça. Je suis né en 1965.

– Je suis chirurgien-dentiste.

– Non, mais je suis marié.

– Elle s'appelle Annie.

– Nous habitons à la campagne

– Oui, beaucoup, surtout le jazz.

4. Compréhension écrite

Lisez le texte, complétez la fiche et cochez les bonnes réponses.

Je m'appelle Caroline Leroy. Je suis née le 25 janvier 1988 à Lons-le-Saunier. C'est une ville de 25 000 habitants située dans le Jura, dans l'Est de la France, près de la Suisse. Lons-le-Saunier, c'est la ville natale de Rouget de Lisle, l'auteur de la Marseillaise. Je suis institutrice. Je suis célibataire, mais j'ai un ami, Antoine qui est instituteur lui aussi. J'aime le sport (en particulier la natation), mais aussi la lecture et le cinéma.

Nom : ....
Prénom : ....
Date de naissance : ....
Âge : ....
Nationalité : ....
Profession : ....
Situation familiale : ....
Goûts : ....

Lons-le-Saunier, c'est :
- ❏ en Suisse
- ❏ en France
- ❏ une grande ville
- ❏ une petite ville
- ❏ dans l'Est de la France
- ❏ dans l'Ouest de la France

Rouget de Lisle :
- ❏ est écrivain
- ❏ est musicien
- ❏ est né dans le Jura

5. Expression écrite

Écrivez un petit texte pour vous présenter sur le modèle de Caroline Leroy.

SÉQUENCE 5

OBJECTIFS

Savoir-faire

- caractériser quelqu'un ou un objet
- exprimer ses goûts et son opinion

Grammaire

- les possessifs
- les démonstratifs
- le pronom relatif *qui*
- les articles :
  le / la / les
  du / de la / des
- la négation
- les mots composés

Lexique

- mots composés
- objets usuels
- jugement / opinion

Phonétique

- [p] / [b]

Écrit

- rédaction de textes de présentation

 *DÉCOUVRIR*

Histoire d'un objet

Écoutez l'enregistrement et dites dans quel(s) dialogue(s)...

l'objet évoqué est caractérisé comme :

une robe
une robe d'été
cette robe
la robe rouge
ta robe
la robe de Véronique
une jolie robe

Véronique est caractérisée comme :

une cliente
cette fille
une amie
la femme d'André
ma femme
la fille à la robe rouge

1

2

3

4

5

6

7

8

PARLER

La valise

Regardez les images et essayez d'imaginer ce que disent les personnages, puis écoutez l'enregistrement.
Comparez avec vos réponses.

– Je voudrais une valise…

1

2

3

4

5

Grammaire

les démonstratifs

ce	+ mot masculin commençant par une consonne : *je ne comprends pas **ce** mot.*
cet	+ mot masculin commençant par une voyelle : *j'aime bien **cet** endroit.*
cette	+ mot féminin : *vous pouvez répéter **cette** phrase ?*
ces	+ mot féminin ou masculin au pluriel : *J'aime beaucoup **ces** peintures, **ces** tableaux.*

Exercice : les démonstratifs

❶ Complétez en choisissant :

1. Elle est à qui, cette .... ?
   ■ voiture ■ livre ■ sac

2. J'adore ce ....
   ■ région ■ pays ■ ville

3. Lis ce ...., il est génial !
   ■ lettre ■ livre ■ histoire

4. Elles sont excellentes, ces ....
   ■ photos ■ image ■ dessins

5. J'habite dans cet ....
   ■ maison ■ quartier ■ immeuble

6. C'est qui, cette .... ?
   ■ garçon ■ fille ■ homme

7. Tu connais cet .... ?
   ■ monsieur ■ madame ■ homme

8. Je ne comprends pas ce ....
   ■ phrase ■ mot ■ exercice

❷ Complétez avec ce, cet, ou cette :

1. Au revoir et à .... soir !

2. .... automne, je n'ai pas beaucoup de travail.

3. .... semaine, j'ai beaucoup de travail.

4. Qu'est-ce que tu fais .... week-end ?

5. Il fait froid .... matin !

6. .... année, je prends deux mois de vacances !

7. On va à la piscine .... après-midi ?

8. C'est .... nuit le passage de l'heure d'hiver à l'heure d'été ?

9. Tu vas où .... été ?

10. .... hiver, il a fait très froid.

Têtes en l'air

❶ Observez les 2 illustrations. Identifiez les objets oubliés.
❷ Téléphonez à chaque personne pour lui rendre ce qui lui appartient (sac, lunettes, etc.).

Qui sont-ils ?

Jean   la copine de Jean

Pierre   la sœur de Pierre

le fils de Pierre   sa fiancée

Grammaire

caractériser

Pour caractériser un objet, vous disposez de plusieurs outils linguistiques :
- **les articles indéfinis (un, une, des) ou définis (le, la, les) :**
articles indéfinis : pour caractériser de façon imprécise une catégorie d'objet :
– *J'ai acheté une voiture.*
– *Tu veux un livre ?*
articles définis : pour identifier un objet en particulier, pour l'extraire d'un ensemble.
Cet objet est unique, visible :
– *Passe-moi le journal, le sel, le pain.*
Cet objet n'est pas unique, fait partie d'un groupe d'objets de même catégorie :
vous devez ajouter des précisions en utilisant un adjectif ou en marquant l'appartenance :
– *Je vais essayer la chemise bleue.*
– *Elle est où la voiture de Pierre ?*

- **les possessifs :**
Ils permettent de caractériser un objet en précisant à qui il appartient :
– *On prend ma voiture ?*
– *Prête-moi ton stylo.*

- **les démonstratifs :**
Ils permettent de caractériser un objet en le désignant (éventuellement à l'aide d'un geste) :
– *Cette voiture, elle est à qui ?*
– *Elle est jolie, cette chemise.*

 COMPRENDRE PARLER

Cocktail

Écoutez et identifiez la personne dont on parle.

> – *Elle est pas mal la petite blonde à lunettes ! Vous la connaissez ?*
> – *Oui, très bien, c'est ma femme.*

---

caractériser quelqu'un

Il existe de nombreux moyens de caractériser quelqu'un. Vous pouvez le faire grâce à :

• une particularité physique :
– *C'est qui la **petite brune** ?*

ou vestimentaire :
– *Tu connais la dame **en bleu** ?*

• un accessoire (chapeau, lunettes, bijoux) :
– *Son mari, c'est le grand blond à **lunettes**.*
– *Marie, c'est la fille **au chapeau blanc**.*

Vous pouvez également identifier quelqu'un en disant ce qu'il fait :
– *Mon frère, c'est **celui qui est assis** sur le canapé.*
– *C'est qui **la fille qui lit** Le Monde ?*

Dans ce cas, vous utiliserez un pronom relatif : **qui, celui qui, celle qui**.

Vous pouvez également combiner plusieurs caractéristiques :
– *C'est qui la **grande fille à lunettes**, celle **qui parle** avec le **gros monsieur chauve au/en costume bleu** ?*

Les pronoms relatifs vous permettent également de caractériser des personnages :
– *Pasteur, c'est un savant français **qui** a découvert le vaccin contre la rage.*

en : en + couleur (la fille en bleu, en rouge, en noir, etc.)
en + type de vêtement (en jupe, en costume, en jean, etc.)

au / à la + accessoires, vêtements (le garçon à lunettes, à moustaches, aux cheveux courts, à la chemise jaune, etc.)

Tout est relatif

Écoutez et identifiez les personnages ou les objets dont on parle.

— *Elle est où ta voiture, Pierre ?*
— *C'est la Renault bleue.*
— *Laquelle ?*
— *Celle qui est garée en face du théâtre.*

---

caractériser quelqu'un ou quelque chose

Un autre moyen de caractériser ou d'identifier quelqu'un
ou quelque chose : la localisation
On peut utiliser des prépositions comme :
en face, à côté, près + du / de la / de l'
— *Le garage Petitjean, c'est celui qui est **en face du stade**.*
— *Ma cousine ? C'est la fille qui est assise **à côté de la sœur** de Jean-Louis.*

Exercice : le... du / le... de la / le... de l'

1. Il est gentil, le fils de la ....
   ▪ voisin ▪ voisine ▪ directeur

2. *La Femme du* .... , c'est un film
   de Marcel Pagnol.
   ▪ charcutière ▪ électricien ▪ boulanger

3. Le 21 juin, c'est le premier jour de l' ....
   ▪ printemps ▪ été ▪ automne

4. Il est sympa, le mari de la ....
   ▪ directeur ▪ directrice ▪ institutrice

5. Je rentre à Paris à la fin du ....
   ▪ mois ▪ an ▪ semaine

6. Il habite rue de la ....
   ▪ République ▪ Général de Gaulle
   ▪ Marché

7. Il vit dans le sud de l' ....
   ▪ Espagne ▪ Hollande ▪ Hongrie

8. C'est quand la fête de la .... ?
   ▪ Musique ▪ Travail ▪ Père

9. On se retrouve au Café de la ....
   ▪ stade ▪ mairie ▪ port

10. Vivement la fin de l' ....
    ▪ monde ▪ mois ▪ année

 COMPRENDRE   ÉCRIRE

Une phrase, ça suffit...

Écoutez les enregistrements et reformulez par écrit les informations sur le modèle suivant :

■ Patricia Kaas, c'est une chanteuse française qui est très connue à l'étranger.

– Mon mec à moi
  il me parle d'aventures…
– *Qu'est-ce que tu chantes ?*
– *Une chanson de Patricia Kaas.*
– *Patricia Kaas ?*
– *C'est une chanteuse française. Tu ne la connais pas ? Pourtant, elle est très connue à l'étranger !*

a

b

c

d

Phonétique : [p] / [b]

❶ **Dites si vous avez entendu [p] et [b], seulement [p] ou seulement [b].**

📼	[p]	[b]	[p] / [b]
1			
2			
3			
4			
5			
6			
7			
8			
9			
10			

❷ **Écoutez et cochez la phrase que vous avez entendue.**

1. ❏ Qu'est-ce que vous voulez comme poisson ?
   ❏ Qu'est-ce que vous voulez comme boisson ?

2. ❏ Je prends du poids !
   ❏ Je prends du bois !

3. ❏ Il est midi pile !
   ❏ Il est midi, Bill !

4. ❏ J'aime bien les prunes.
   ❏ J'aime bien les brunes.

5. ❏ Il est où, ton poney ?
   ❏ Il est où, ton bonnet ?

6. ❏ Je n'ai plus de patrie.
   ❏ Je n'ai plus de batterie.

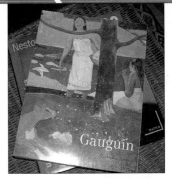

Cadeaux

Écoutez les enregistrements et choisissez
le cadeau qui convient (justifiez vos choix) :

a

b

> – Tu as une idée de cadeau
>   pour Jacqueline ?
> – Oui, un livre d'art,
>   elle aime beaucoup
>   la peinture.

c

d

e

f

g

h

---

les mots composés

Le nom de nombreux objets est composé de plusieurs mots : *un fer à repasser, des lunettes de soleil, un timbre-poste…*

1. Mots composés par juxtaposition :	2. Mots composés avec la préposition à :	3. Mots composés avec la préposition de :
un stylo-plume	une machine à laver	une carte de crédit
un stylo-bille	un stylo à bille	une carte de visite
un sac-poubelle	un sac à main	des boucles d'oreilles
un timbre-poste	un coffret à bijoux	des lunettes de soleil
une porte-fenêtre	du papier à lettres	un bouquet de fleurs
	une brosse à dents	un sac de voyage
	un verre à vin	une robe de chambre
	un verre à eau	

PARLER

Jeu

Regardez les images et trouvez le plus d'objets dont le nom comporte les mots boîte, brosse, papier, sac, chemise, robe, carte.

■ boîte de chocolat	carte de crédit	■ sac poubelle	robe de chambre
boîte à ordures	carte d'identité	sac à dos	robe à fleurs
boîte à lettres	carte de visite	sac à main	robe d'été
boîte de nuit	■ papier-toilette	sac de voyage	■ chemise à fleurs
boîte de conserve	papier à lettres	sac plastique	chemise de nuit
boîte à gants	papier-journal	■ machine à café	chemise à manches courtes
■ carte de vœux	papier cadeau	machine à coudre	■ brosse à dents
carte postale	corbeille à papier	machine à laver	brosse à chaussures
carte à jouer	papier-machine	machine à écrire	brosse à cheveux
carte de France	papier peint	■ robe de soirée	balai-brosse

Exercice : mots composés

Complétez en choisissant :

1. Ici, Jacques Laplume, en direct du festival de Cannes. Catherine Deneuve arrive à l'instant, vêtue d'une magnifique ....
   - ■ robe de chambre ■ robe à fleurs
   - ■ robe de soirée

2. – Où sont mes clefs ?
   – Regarde dans la voiture. Je crois qu'elles sont dans la ....
   - ■ boîte à ordures ■ boîte à gants
   - ■ boîte de vitesses

3. – Elle est où ma .... ?
   – Dans ta trousse de toilette.
   - ■ brosse à chaussures ■ brosse à dents

4. – Tu as écrit un petit mot à ta mère pour son anniversaire ?
   – Non, est-ce que tu as du .... ?

   - ■ papier à lettres ■ papier-toilette
   - ■ papier-journal

5. On va danser ? Je connais une bonne ....
   - ■ boîte à lettres ■ boîte de nuit
   - ■ boîte à ordures

6. Est-ce que je peux payer avec ma .... ?
   - ■ carte d'identité ■ carte à jouer
   - ■ carte bancaire

7. Je suis en panne, j'ai cassé ma ....
   - ■ boîte de vitesses ■ boîte à gants
   - ■ boîte de conserve

8. Tu es tout sale ! Mets tes vêtements dans la ....
   - ■ machine à café ■ machine à coudre
   - ■ machine à laver

SÉQUENCE 6

Opinions

O B J E C T I F S

Savoir-faire

- exprimer goûts et opinions
- argumenter avec des mots simples

Grammaire

- verbe + nom
- verbe + infinitif
- oui / si / non / moi aussi / moi non plus
- les adverbes

Lexique

- loisirs / activités
- jugement / opinion

Phonétique

- [f] / [v]

Écrit

- écrire une carte postale

Culture(s)

- les loisirs

 DÉCOUVRIR

Mes goûts

Écoutez les enregistrements et dites ce que chaque personnage aime ou n'aime pas.

– Il fait chaud aujourd'hui.
– C'est bien. Moi, j'adore le soleil.

a

b

c

d

e

f

g

h

i

j

k

l

m

n

o

p

q

 REPÉRER  COMPRENDRE

Micro-chansons

Écoutez et dites pour chaque extrait de chanson si le texte est positif ou négatif.

chanson	positif	négatif
	x	
1		
2		
3		
4		
5		
6		
7		

– *J'aime flâner sur les grands boulevards, y'a tant de choses, tant de choses, tant de choses à voir…*

 PARLER ARGUMENTER

Passe-temps

Écoutez et indiquez la revue qui convient à chacun.

a

b

c

d

e

f

Exercice : verbe + nom ou verbe + infinitif

Reformulez les phrases suivantes en utilisant un verbe suivi d'un infinitif.
Exemple : J'aime bien la natation. → J'aime bien nager.

1. J'adore la lecture.
2. Je déteste les voyages.
3. J'aime bien la danse.
4. Je n'aime pas la marche.

5. J'adore la cuisine.
6. Je déteste le travail.
7. J'aime bien le jardinage.
8. J'adore le dessin.

Affinités...

Écoutez et dites qui parle à qui puis imaginez un dialogue entre Laura et Éléonore, Yannick et Cyril.

	Laura		Éléonore		Yannick		Cyril	
	aime	n'aime pas	aime	n'aime pas	aime	n'aime pas	aime	n'aime pas
le football		✗	✗			✗	✗	
le tennis		✗		✗	✗			✗
la ville		✗	✗			✗		
la campagne	✗			✗	✗		✗	
la lecture	✗			✗	✗			
la foule		✗	✗			✗		
la solitude	✗			✗	✗		✗	
la musique classique	✗			✗	✗			✗
la musique techno		✗	✗			✗	✗	
le bruit		✗	✗			✗		
l'animation		✗	✗			✗		
les voyages	✗		✗		✗			

Exercice

Complétez en choisissant l'expression la plus positive :

1. Le Mexique est un pays ....
   - ▪ intéressant ▪ fabuleux

2. Elle est très ...., la fiancée de Frédéric.
   - ▪ jolie ▪ belle

3. Il est ...., ce film !
   - ▪ génial ▪ bien

4. Il est ...., ce fromage !
   - ▪ bon ▪ excellent

5. J'habite un appartement ....
   - ▪ grand ▪ spacieux

6. J'ai passé une .... soirée.
   - ▪ bonne ▪ excellente

7. ...., ce coucher de soleil !
   - ▪ Très beau ▪ Splendide

8. Ses enfants sont ....
   - ▪ adorables ▪ terribles

9. Tu as lu *À toute allure* ? C'est ....
   - ▪ intéressant ▪ passionnant

10. Il est .... avec son nouveau costume.
    - ▪ superbe ▪ beau

Grammaire

questions / réponses

Oui / Si / Non

Question positive	Réponses
– Tu aimes ça ?	*Oui*
– Vous parlez anglais ?	*Non*
Question négative	
– Tu n'aimes pas ça ?	*Si*
– Tu ne comprends pas ?	*Non*

moi aussi / moi non plus / moi si / moi non

information positive
- J'aime bien voyager. — *Moi aussi*
- J'adore le fromage. — *Moi non*

information négative
- Je n'aime pas le froid. — *Moi si*
- Je n'aime pas la pluie. — *Moi non plus*

je	→ moi aussi / moi non plus
tu	→ toi aussi / toi non plus
il	→ lui aussi / lui non plus
elle	→ elle aussi / elle non plus
nous	→ nous aussi / nous non plus
vous	→ vous aussi / vous non plus
ils	→ eux aussi / eux non plus
elles	→ elles aussi / elles non plus

 **REPÉRER**  **COMPRENDRE**

En effeuillant la marguerite

Écoutez les conversations, identifiez le thème évoqué, et dites si la personne qui parle aime :

un peu   beaucoup   passionnément

à la folie   pas du tout

 PARLER

Trop, c'est trop !

Faites un commentaire à partir des images suivantes en utilisant **trop** ou **pas assez** :

Zut !
Trop tard !

 53 Kg

a   **b**

  180 K.h

e

c   **d**

On aime ou on n'aime pas !

Écoutez les dialogues et cochez les adjectifs que vous avez entendus.

Bon

- ❑ succulent
- ❑ excellent
- ❑ delicieux
- ❑ très très bon
- ❑ très bon
- ❑ vraiment bon
- ❑ bon
- ❑ assez bon
- ❑ plutôt bon
- ❑ pas trop mauvais
- ❑ pas mauvais
- ❑ pas très bon
- ❑ médiocre
- ❑ pas bon du tout
- ❑ assez mauvais
- ❑ mauvais
- ❑ très mauvais
- ❑ vraiment mauvais
- ❑ horrible
- ❑ abominable

Mauvais

Beau

- ❑ splendide
- ❑ magnifique
- ❑ merveilleux
- ❑ très beau
- ❑ beau
- ❑ assez beau
- ❑ joli
- ❑ mignon
- ❑ assez joli
- ❑ pas joli
- ❑ pas très beau
- ❑ plutôt laid
- ❑ pas beau
- ❑ laid
- ❑ très laid
- ❑ vraiment très laid
- ❑ horrible

Laid

Drôle

- ❑ vraiment très drôle
- ❑ très amusant
- ❑ plutôt drôle
- ❑ drôle
- ❑ assez drôle
- ❑ amusant
- ❑ pas très drôle
- ❑ pas très amusant
- ❑ assez triste
- ❑ pas drôle
- ❑ ennuyeux
- ❑ très ennuyeux
- ❑ vraiment triste

Triste

---

des mots pour le dire : langage familier

Le langage familier est riche en expressions permettant d'exprimer
son opinion ou ses goûts :
beau : super, chouette   mauvais : nul, dégueulasse
laid : moche, tarte   drôle : marrant, rigolo
super et hyper peuvent s'associer à des adjectifs plus positifs que « très » :
– C'est super bon, c'est hyper chouette.

Exercice

Mettez en relation les phrases de même sens :

1. C'est plutôt bon !
2. C'est immense !
3. C'est vraiment bien !
4. Il n'est pas bête.
5. Ce n'est pas très loin.
6. C'est tout petit !
7. Ce n'est pas très intéressant.
8. Elle est plutôt jolie.

A. C'est super !
B. Il est intelligent.
C. Ce n'est pas mauvais.
D. C'est minuscule !
E. C'est ennuyeux !
F. Elle est mignonne.
G. C'est tout près d'ici.
H. C'est très grand !

Séquence 6

 COMPRENDRE LIRE  ÉCRIRE

Cartes postales

Écoutez les dialogues et écrivez la carte postale correspondante.

Thessalonique
le 25/5/2000
Chère Maman,
Bonjour de Thessalonique.
Je passe de très bonnes
vacances en Grèce.
Il fait très beau.
C'est un pays
magnifique. Les Grecs
sont très sympas.
Grosses bises
Christine

CANNES 0640D — Les Éditions AzLa
le 5 Mai 2001
Chers tous,
Xavier
LUMIÈRE ET BEAUTÉ DE LA CÔTE D'AZUR

- *Allô Maman !*
- *Christine ? Tu es où ?*
  J'entends très mal.
- *À Thessalonique !*
- *C'est beau la Grèce ?*
- *Magnifique ! Il fait très beau,*
  les plages sont belles et les
  Grecs sont très gentils.

FIRENZE, San Lorenzo.
Bonjour les enfants !
Jacques
Votre papa qui vous a adore
139 Ediz. Art. Co.

POST CARD EGYPT
Chers Collègues,
Max
LOUKSOR, Temples

Exercice : positif ou négatif ?

Dites si l'opinion exprimée est positive ou négative :

	positif	négatif
1. Ce n'est pas mauvais.		
2. Il n'est pas bête.		
3. Il n'est pas très sympa.		
4. Je ne déteste pas ça.		
5. Ce n'est pas très intelligent.		
6. Ce n'est pas drôle.		
7. Il n'est pas très malin.		
8. Ce n'est pas très bon.		
9. Elle n'est pas méchante.		
10. Il n'est pas gentil.		

Phonétique : [f] / [v]

Écoutez et dites si vous avez entendu [f] ou [v] :

🔊	[f]	[v]
1		
2		
3		
4		
5		
6		
7		
8		
9		
10		

OBJECTIFS

Savoir-faire
- se situer dans le temps
- demander et donner l'heure
- se situer dans l'espace
- interagir : tu / vous

Grammaire
- le passé composé
- l'infinitif
- les prépositions de lieu
- les pronoms compléments

Lexique
- environnement : maison, objets usuels

Phonétique
- [k] / [g]
- [ã] / [ɛ̃]

Écrit
- agenda
- poème

Culture(s)
- une journée en France

COMPRENDRE   PARLER

— Encore un petit peu de café, Bill ?
— Oui, merci.

Quelle heure est-il ?

Écoutez et dites quelle heure il est.

dire l'heure

	heure officielle	heure courante
7 h 10 :	sept heures dix	sept heures dix
8 h 15 :	huit heures quinze	huit heures **et quart**
10 h 30 :	dix heures trente	dix heures **et demie**
10 h 35 :	dix heures trente-cinq	onze heures **moins vingt-cinq**
11 h 45 :	onze heures quarante-cinq	midi **moins le quart**
11 h 55 :	onze heures cinquante-cinq	midi **moins cinq**
12 h :	douze heures	midi
0 h :	zéro heure	minuit
13 h :	treize heures	une heure (de l'après-midi)
18 h :	dix-huit heures	six heures (du soir)
3 h :	trois heures	trois heures (du matin)

L'heure officielle (heures + minutes) est utilisée dans les gares, dans les aéroports, à la télévision, à la radio pour donner une heure précise. L'heure courante est utilisée dans une conversation, quand vous donnez ou demandez l'heure à quelqu'un. Pour éviter toute confusion, vous pouvez ajouter **du matin**, **de l'après-midi**, **du soir** ou utiliser l'heure **officielle**.

 COMPRENDRE   PARLER   CONNAÎTRE

Mettez vos pendules à l'heure

Identifiez l'horloge correspondant à l'heure évoquée dans chaque dialogue puis dites si ça se passe le matin, l'après-midi, le soir ou la nuit.

a

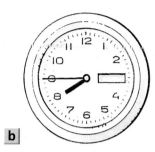
b

c

d

e

f

– Le TGV 728 à destination de Paris partira à 19 h 18 voie 4.
– Il est quelle heure ?
– Sept heures et quart.

Rythme d'une journée de travail

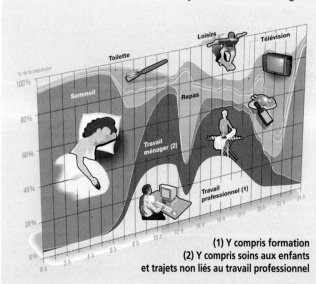

(1) Y compris formation
(2) Y compris soins aux enfants et trajets non liés au travail professionnel

6 h - 8 h :	la France se réveille, fait sa toilette et déjeune.
8 h - 8 h 30 :	les enfants sont à l'école et les parents sont ou vont au travail.
11 h 30 - 12 h :	les enfants sortent de l'école.
12 h :	la France mange.
13 h -13 h 30 :	les enfants retournent à l'école et les parents au travail.
16 h 30 -17 h :	l'école est finie pour aujourd'hui.
17 h 30 -19 h :	les parents quittent leur travail.
20 h :	c'est l'heure du journal télévisé et du repas du soir.
21 h 30 - 22 h :	les Français commencent à aller se coucher.
0 h :	la France dort.

Cela ne se passe pas comme ça pour tous, mais ce rythme quotidien est celui de très nombreux Français.

 **COMPRENDRE**   **PARLER**

Réagissez !

Réagissez aux enregistrements suivants :

- Je n'ai pas entendu.
- Je n'ai pas compris.
- Je n'ai pas vu le feu rouge.
- Je me suis trompé.
- Je n'ai pas fini.
- J'ai oublié.
- J'ai terminé.
- Je n'ai rien dit.

Hier ou demain ?

Identifiez les expressions de temps entendues dans chaque enregistrement, puis dites si elles servent à parler du passé ou du futur (ou des deux).

	passé	futur
après-demain		
dans une semaine		
demain		
avant-hier		
il y a une semaine		
dimanche dernier		
la semaine dernière		
ce week-end		
cette semaine		
aujourd'hui		

Exercice : présent / passé composé

Écoutez et dites si vous avez entendu le présent ou le passé composé :

	présent	passé composé
1		
2		
3		
4		
5		
6		
7		
8		
9		
10		

Exercice : l'heure courante, l'heure officielle

Écoutez et dites si vous avez entendu l'heure courante ou l'heure officielle, puis écrivez l'heure entendue.

	heure courante	heure officielle	heure en chiffres
1			
2			
3			
4			
5			
6			

Phonétique : [k] / [g]

Écoutez et identifiez la phrase entendue.

- ❏ Qui est là ?
- ❏ Guy est là ?

- ❏ Tu connais Caen ?
- ❏ Tu connais Gand ?

- ❏ Tu as vu le film *Carrie* ?
- ❏ Tu as vu le film, Gary ?

- ❏ Quel beau gâteau !
- ❏ Quel beau cadeau !

- ❏ Il est gris.
- ❏ Il écrit.

 COMPRENDRE    PARLER   LIRE

De ma fenêtre...

❶ Écoutez les dialogues et dites à quelle image ils correspondent, puis dites ce que chaque personnage voit de sa fenêtre.

a

b

c

d

e

f

g

❷ À quelle image vous fait penser ce poème de Paul Verlaine ?

Le ciel est par-dessus le toit, Si bleu, si calme ! Un arbre, par-dessus le toit, Berce sa palme.	Mon Dieu, mon Dieu, la vie est là, Simple et tranquille. Cette paisible rumeur-là Vient de la ville.
La cloche dans le ciel qu'on voit, Doucement tinte. Un oiseau sur l'arbre qu'on voit Chante sa plainte.	– Qu'as-tu fait, ô toi que voilà Pleurant sans cesse, Dis, qu'as-tu fait, toi que voilà, De ta jeunesse ?
	Paul Verlaine *Sagesse*

 COMPRENDRE  PARLER

Où sont passées mes pantoufles ?

Écoutez et retrouvez les objets dont on parle.

Exercice : morphologie des verbes

Identifiez l'infinitif des verbes entendus.

🔌	infinitif
	vouloir
	aller
	faire
	écrire
	prendre
	ouvrir
	être
	dormir
	avoir
	comprendre

Phonétique : [ã] / [ɛ̃]

Écoutez et dites si vous avez entendu [ã] ou [ɛ̃].

🔌	[ã]	[ɛ̃]
1		
2		
3		
4		
5		
6		
7		
8		
9		
10		

REPRISE

COMPRENDRE   PARLER

Tu / vous

Écoutez chaque dialogue puis imaginez ce que disent les personnages dans la deuxième image.

Petite histoire de chiffres

Écoutez la petite histoire, puis répondez aux 2 questions.

Exercice : tu / vous

Écoutez et dites si les personnes se tutoient ou se vouvoient.

📼	tu	vous
1		
2		
3		
4		
5		
6		
7		
8		
9		
10		

Exercice : pronoms compléments

Dites à qui ou à quoi correspondent le, la, l', les et ça.

1. Je l'aime bien, il est très sympa.
   ■ Pierre ■ Brigitte ■ le tennis

2. J'adore ça. Tu peux me donner la recette ?
   ■ Henri ■ la crème au chocolat
   ■ les vacances

3. Lui ! Je **le** déteste !
   ■ le frère de Brigitte ■ le football
   ■ le poisson

4. Moi, je **la** trouve très gentille.
   ■ la voiture ■ l'institutrice ■ le directeur

5. C'est délicieux. J'adore ça !
   ■ la voisine ■ la tarte aux fraises ■ le tennis

OBJECTIFS

Savoir-faire
- argumenter
- exprimer un jugement
- féliciter

Grammaire
- les pronoms compléments

Lexique
- défauts, qualités

Phonétique
- [e] / [ɛ]

Écrit
- compréhension de textes critiques
- rédiger un mot de félicitations

Culture(s)
- rites sociaux

 DÉCOUVRIR

Arguments

Écoutez les enregistrements et indiquez le nombre d'arguments positifs ou négatifs utilisés.

– J'ai trouvé un appartement près de la gare. 3 000 F par mois, ce n'est pas cher et c'est à 5 minutes à pied de mon travail, mais c'est un peu petit, et en plus, c'est au sixième étage, et il n'y a pas d'ascenseur.

a

b

f

c

e

g

h

d

dialogue	thème	nombre d'arguments	positif	négatif
témoin	appartement	5	2	3
	voiture			
	ski			
	invitation			
	vêtements			
	cinéma			
	hôtel			
	repas			
	café			

Séquence 8

PARLER

Le pour et le contre

Regardez les images et essayez de les commenter en donnant des arguments positifs ou négatifs.

---

donner des arguments

Donner un argument positif :
Ce n'est pas difficile, une phrase simple suffit :
– *J'aime bien ce pays, il y a du soleil toute l'année.*

Ajouter un argument avec et ou et, en plus :
J'aime bien ce pays, il y a du soleil toute l'année et, en plus, les gens sont sympas.

Vous pouvez aussi énumérer :
– *J'adore cette région, il y a du soleil, la mer est belle, et, en plus, ce n'est pas cher.*

Avec un argument négatif, c'est pareil :
– *Je déteste cette ville, c'est triste, c'est laid et, en plus, les gens ne sont pas sympas.*

Vous pouvez aussi **combiner** argument **positif** et argument **négatif** pour émettre une **restriction ou une opposition** avec **mais** :
– *Je suis à l'hôtel du Nord. C'est un bon hôtel, mais c'est un peu cher.*
– *La ville n'est pas belle, mais les gens sont sympas.*

Exercice : argumenter

Complétez les phrases en choisissant le bon argument.

1. Il fait trop chaud, le climat est très humide et, en plus, ...
   - il y a des moustiques
   - la ville est magnifique
   - je suis en pleine forme

2. Elle a un bon curriculum vitae, mais ....
   - elle n'a pas beaucoup d'expérience
   - elle a de l'expérience
   - c'est une excellente candidate

3. C'est un excellent hôtel, mais ....
   - c'est un peu trop cher
   - ce n'est pas cher
   - il est très bien situé

4. C'est une excellente secrétaire et, en plus, ...
   - elle fait des fautes d'orthographe
   - elle parle 4 langues
   - elle n'est pas compétente

5. Il fait beau aujourd'hui, mais ....
   - il y a un peu de vent
   - il y a du soleil
   - le ciel est bleu

6. Il est beau mais ....
   - très intelligent
   - très sympathique
   - un peu bête

 COMPRENDRE   LIRE   PARLER

Chef-d'œuvre ou navet ?

Écoutez et dites quel enregistrement correspond à l'opinion exprimée dans chaque texte.

À voir cette semaine

L'HOMME DE SÃO PAULO

Un film haletant où Serge, le héros, nous entraîne à toute allure dans une série d'aventures dignes de James Bond. Cardiaques, s'abstenir.

LE HÉROS EST FATIGUÉ

Les 5 premières minutes sont très drôles, mais, malheureusement, ça ne dure pas car le héros ne se fatigue pas. À voir à l'heure de la sieste.

UN JOUR DE PRINTEMPS

Un petit film à petit budget de Jean Lanoy, un jeune réalisateur talentueux. Une histoire simple, de tous les jours, des personnages comme vous et moi. Il ne se passe rien, mais on ne s'ennuie pas.

POUR LA VIE

Vrai moment de bonheur que ce premier film de Jean Larose. Un petit chef-d'œuvre à voir absolument.

ÉCRIRE

Bravo !

Rédigez un petit mot de félicitations pour chacune de ces situations.

féliciter		
Félicitations		exposition
Je vous félicite		conférence
Bravo	**pour** votre	spectacle
Mes compliments		livre

C'était magnifique / très intéressant / passionnant

Amicalement   Respectueusement

Un de vos admirateurs
Une de vos admiratrices

a une conférence

b une signature de livre

c un vernissage

 COMPRENDRE PARLER

Compliments

Écoutez le dialogue témoin, puis, sur le même modèle, imaginez les conversations entre les personnages.

> – *Il est très joli, ton pull.*
> – *Tu trouves ? C'est un cadeau de Jean-Philippe.*
> – *Et, en plus, il va très bien avec ta jupe.*

a

b

c

---

faire un compliment, apprécier

Si on s'adresse à quelqu'un :

– *Ta robe est très jolie.*
– *Ils sont mignons, vos enfants.*
– *Ce costume vous va très bien.*
– *Ça te va très bien.*
– *Vous avez de beaux yeux.*

Si on parle de quelqu'un :

– *C'est un garçon très sympa.*
– *Elle est mignonne, sa copine.*

– *C'est une fille charmante.*
– *Je le trouve très gentil, ce garçon.*
– *Je la trouve très compétente, cette jeune femme.*

Si on parle de quelque chose :

– *Magnifique, ce coucher de soleil !*
– *Ce restaurant est excellent.*
– *Il est passionnant, ce roman.*

Exercice : positif / négatif

Complétez en choisissant l'expression la plus négative.

1. – Qu'est-ce que tu penses de Claude ?
   – Il est vraiment ....
   ■ insupportable ■ charmant ■ ennuyeux

2. J'ai passé une journée ....
   ■ épuisante ■ fatigante ■ tranquille

3. La nourriture est ....
   ■ mauvaise ■ délicieuse ■ infecte

4. C'est une histoire ....
   ■ affreuse ■ triste ■ amusante

5. Quel .... temps !
   ■ mauvais ■ sale ■ beau

6. J'ai trouvé une chambre dans un hôtel ....
   ■ minable ■ confortable ■ sordide

7. C'est un travail ....
   ■ fatigant ■ épuisant ■ intéressant

8. En Norvège, l'hiver est ....
   ■ agréable ■ froid ■ glacial

9. C'est une ville très ....
   ■ grise ■ polluée ■ colorée

10. Il est ...., ce film.
    ■ mauvais ■ génial ■ nul

 COMPRENDRE  PARLER ARGUMENTER

C'est très bien pour lui

Écoutez les dialogues, dites quel document correspond aux goûts de chaque personnage et justifiez votre choix.

a

c

e

b

d

f

Exercice : pronoms compléments

Complétez en utilisant le / la / l' / les / ça.

1. Je .... adore. C'est un excellent acteur.
2. Tu trouves .... bon ?
3. Je .... connais bien. Il habite à côté de chez moi.
4. Je .... trouve très sympas, Pierre et Marie.
5. Tu .... vois souvent, Ursula ?
6. Je .... apprécie beaucoup. C'est une excellente dessinatrice.
7. Elle est où Dominique ? Je .... cherche partout.
8. Le bruit, je déteste .... !
9. Les Grosjean ? Non, je ne .... connais pas.
10. Ce garçon, je .... trouve très intéressant.

Phonétique : [e] / [ɛ]

Écoutez et mettez les accents qui conviennent (é, è ou ê).

1. Sa mere est tres elegante.
2. Tu veux du the ou du cafe ?
3. Cet ete, je vais à la mer.
4. Depechez-vous ! Vous etes en retard !
5. Je suis nee le 25 decembre.
6. J'ai achete un velo.
7. J'ai passe une bonne soiree.
8. Hier, j'ai dejeune avec Helene.
9. Bonne fete, Eleonore !
10. Tu as telephone à ton pere ?

---

le / la / les / l' / ça pour désigner quelqu'un ou quelque chose

Quand on veut parler de quelqu'un :
Tu la connais, la copine de Fernando ?
Je le trouve très sympa, ce garçon.
Et Michel, je l'invite aussi ?
André et Michel ? Je les vois demain.

Pour parler de quelque chose (dire qu'on aime ou qu'on n'aime pas) :
Le poisson ? J'adore ça.
Pour moi pas de fromage. Je déteste ça.
Le vélo, je trouve ça fatigant.

Culture(s)

Rites sociaux : les petits mots de tous les jours

Lisez les textes et essayez de trouver ce que peuvent se dire les personnages des images.

> ### bonjour ou bonsoir ?
>
> Il est 17 heures (5 heures de l'après-midi). Vous rencontrez quelqu'un que vous connaissez. Faut-il dire : « Bonjour » ou « Bonsoir » ?
> • Vous ne l'avez pas vu pendant la journée, dites : « Bonjour »
> • Vous l'avez déjà vu le matin, vous dites : « Bonsoir ».
> • Après 20 heures, vous pouvez dire « bonsoir » dans tous les cas.
>
> *Remarque :* beaucoup de Français ne font pas la distinction entre « Bonjour » ou « Bonsoir » et disent « Bonjour ! » quel que soit le moment de la journée.

présentations	
Annie, qui est votre amie, vous dit : « Je te présente mon père ».	vous pouvez répondre simplement : « Enchanté ». Vous pouvez aussi dire : « Je suis très heureux de vous rencontrer » ou « Je suis enchanté de faire votre connaissance ».
accueil	
Vous accueillez quelqu'un	vous pouvez dire : « Bienvenue ». « Je vous souhaite la bienvenue à… ».
salutations	
Pour saluer quelqu'un qui s'en va ou si vous partez vous-même.	« Au revoir » « À demain » (si vous devez revoir la personne le lendemain) « À bientôt » (si la prochaine rencontre n'est pas fixée) « À tout à l'heure » (si vous devez revoir la personne) Réservez : « Salut », « Ciao » et « À plus » (= à plus tard) aux personnes que vous connaissez bien.

Culture(s)

a

b

c

d

avenir

Un de vos amis passe un examen ou vit une épreuve difficile. Dites-lui :
– *Bonne chance !*
– *Bon courage !*

Quelqu'un part en voyage, dites-lui :
– *Bon voyage !*

Au début d'un repas, dites :
– *Bon appétit !*

Vous servez une boisson. Levez votre verre et dites :
– *À votre santé !*
– *Santé !*

au téléphone

La politesse veut que la personne qui appelle se présente tout de suite. Vous direz :
– *Allô. Bonjour. C'est Brigitte.*
ou bien
– *C'est Brigitte à l'appareil.*

Avec le répondeur, vous vous identifiez... après le bip sonore :
– *C'est moi, Brigitte. Je te rappelle plus tard.*

remerciements

Quelqu'un vous dit : « Merci. »

« Je vous en prie. »
Vous pouvez dire aussi :
« De rien. »
« Il n'y a pas de quoi. »

propositions

On vous fait une proposition :
« Je peux vous conduire à la gare, si vous voulez. »

« Merci. C'est très gentil. »
« Merci, c'est très sympa. »

propositions (bis)

On vous propose quelque chose :
« Je vous offre un café ? »

« Volontiers. »
« Merci, avec plaisir. »
Mais vous êtes libre de refuser.
« Non, merci. »

Attention : si vous dites simplement : « Merci », votre interlocuteur peut comprendre que vous acceptez !
Pour refuser, vous pouvez aussi ajouter : « C'est gentil. » et vous pouvez aussi donner un argument pour expliquer votre refus : « Je ne bois jamais de café. »

Culture(s)

Dites-le avec les mains

Écoutez et identifiez le geste qui correspond à chaque dialogue.

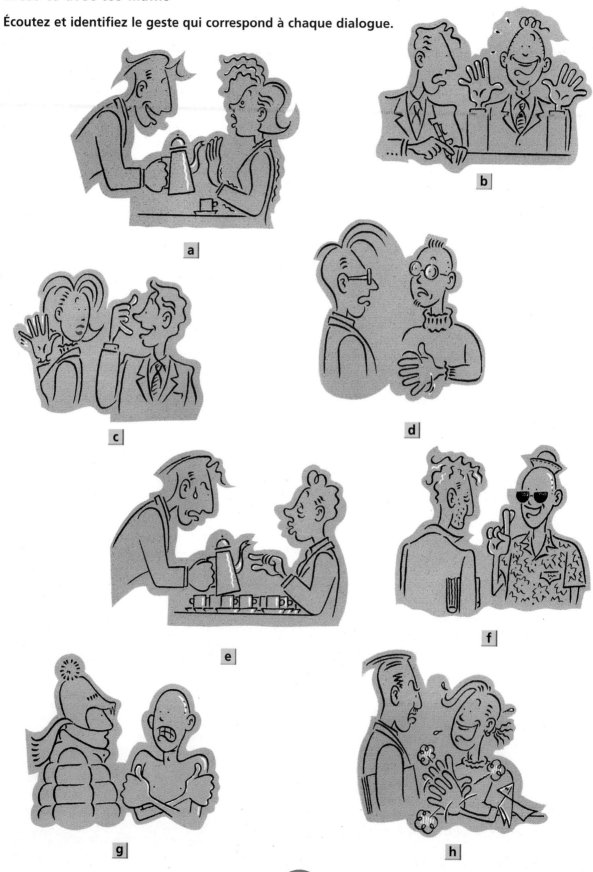

a

b

c

d

e

f

g

h

1. Compréhension orale

Écoutez l'enregistrement deux fois et remplissez le questionnaire (répondez aux questions par vrai ou faux).

	vrai	faux
1. François est bibliothécaire.		
2. Il aime lire.		
3. Il n'aime pas la montagne.		
4. Il vit à la campagne.		
5. Il aime les grandes villes.		
6. Il va au cinéma une fois par mois.		
7. Il aime le jazz et le rap.		
8. Il aime le jazz et le rock.		
9. Il n'aime pas la chanson française.		
10. Il adore la musique classique.		

2. Expression orale

Choisissez une des fiches et expliquez à un ami qui n'a pas aimé un des films pourquoi vous, vous l'avez aimé.

- comédie bien française
- sujet très peu traité, mais qui touche le spectateur
- rythme du film
- pas du tout ennuyeux
- une heure et demie de rires mais aussi de réflexion

- film d'action
- acteurs confirmés (Robert Redford, Kim Bassinger)
- histoire complexe
- 20e film du réalisateur
- suspense

- film à caractère social
- acteurs peu connus et même non-professionnels
- originalité du sujet
- fraîcheur du film, inhabituel

3. Compréhension écrite

Lisez les cartes postales et classez-les du plus positif au plus négatif.

1
Chère maman,
Je suis bien arrivée à Barcelone, j'ai trouvé un hôtel très bruyant, je n'ai pas retrouvé Agnès, mais ça va. Bises
Julie

3
Chers amis,
Nous sommes arrivés après un voyage difficile, des heures d'embouteillage, le premier jour, on a volé notre voiture et nous avons eu des difficultés pour trouver un hôtel, nous serons à Montpellier samedi.
Amitiés.
Stéphanie et Yves

2
Salut Anne,
Je passe des vacances ensoleillées à Majorque, c'est un endroit agréable, je profite de la mer et de la vie nocturne.
Bises
Amélie

4
Cher Jacques,
Nous avons suivi ton conseil et ce week-end à Amsterdam est plutôt sympathique, promenades, musées, mais il fait un temps affreux.
À bientôt.
Michèle et Paul

4. Expression écrite

Vous répondez à une petite annonce. Vous vous présentez et vous indiquez quels sont vos goûts.
Ou
Vous décrivez à un ami vos occupations quotidiennes.

DELF A1

1. Compréhension orale

❶ Écoutez les enregistrements et répondez au questionnaire.
Dites si c'est vrai ou faux.

	vrai	faux
1. Laura est d'origine antillaise.		
2. Elle est d'origine polonaise.		
3. Elle est blonde.		
4. Elle est sympathique.		
5. Elle fait des études de médecine.		
6. Elle est brune.		
7. Elle aime le sport.		
8. Elle travaille dans le cinéma.		
9. Elle fait des photos.		
10. Sylvain est étudiant en droit.		

❷ Écoutez et choisissez les réponses justes.

❑ Il va à Paris.
❑ Il vient de Belfort.
❑ Il va à Belfort.

❑ Il n'y a pas de train le soir.
❑ Il y a un train à 6 heures 49.
❑ Il y a un train après 22 heures.

❑ Il veut un aller-retour.
❑ Il veut un aller simple.

❑ Il paie 78 francs.
❑ Il paie 112 francs.
❑ Il paie 102 francs.

❑ Il paie en liquide.
❑ Il paie par chèque.
❑ Il paie par carte.

❸ Écoutez et dites si la réaction est positive ou négative.

🖭	positif	négatif
1		
2		
3		
4		
5		

2. Expression orale

❶ Vous voulez acheter un livre pour faire un cadeau à un de vos amis.
Imaginez la conversation avec le libraire.

❷ Vous voulez convaincre un ami d'aller au cinéma avec vous.
Vous lui expliquez pourquoi le film que vous avez choisi est bien.

❸ Vous voulez acheter une voiture. Imaginez le dialogue avec le vendeur.

SÉQUENCE 9

OBJECTIFS

Savoir-faire
- parler d'un événement passé

Grammaire
- le passé composé avec être ou avoir
- le passé composé des verbes irréguliers

Lexique
- verbes d'action

Phonétique
- phonie / graphie du son [e]

Écrit
- rédiger une carte postale (raconter)

Culture(s)
- liens sociaux

 **DÉCOUVRIR**

Tranches de vie

Alain et Victor ne se sont pas vus depuis 10 ans.
Écoutez leur conversation et dites quelles images correspondent à leurs vies respectives pendant ces dix ans.

– *Je crois qu'on se connaît !*
  Alain !
– *Victor !*
– *C'est extraordinaire !*
– *Finalement tu n'as pas changé !*
– *J'ai un peu vieilli.*
– *Moi aussi !*
– *Qu'est-ce que tu as fait pendant toutes ces années ?*

 a

b

c

d

 e

f

PARLER

Tu as passé un bon week-end ?

Regardez les images (ce qu'ils ont fait pendant le week-end), puis imaginez la conversation le vendredi (avant le week-end) et le lundi (après le week-end).

– *Tu as passé un bon week-end ?*
– *Oh, tranquille, j'ai dormi, j'ai lu et j'ai regardé la télévision. Et toi ?*

a

b

c

d

CES PETITS RIENS QUI ENTRETIENNENT L'AMITIÉ

La pluie et le beau temps
Chez le boulanger, à l'épicerie, avec les voisins, il est fréquent que l'on échange de petites phrases sans importance : « Il fait beau aujourd'hui », « Quel sale temps », « Il va faire de l'orage »…
Ce n'est pas une vraie information, mais cela établit un contact social.

Petites attentions
Quand on travaille ensemble, au bureau, dans l'entreprise, il est normal de s'intéresser à ses collègues, de maintenir, au-delà du travail, un lien social. Les moments-clés sont les fins de semaine, les débuts de semaine, les départs et les retours de vacances.
Dialogues typiques du vendredi :
« Qu'est-ce que tu fais ce week-end ? »

« Je vais à la pêche. »
« Je vais au mariage de ma cousine. »
« Je vais passer le week-end à la campagne, chez des amis. »
« Je vais faire une balade en vélo avec les enfants. »
Dialogues typiques du lundi :
« Vous avez passé un bon week-end ? »

« Alors tu as pêché beaucoup de poisson ? » « C'était bien le mariage de ta cousine ? »
« Dis donc tu as l'air en pleine forme. Ça te réussit les week-ends à la campagne. »
« Tu as fait une bonne balade ? »
Et au retour des vacances :
« Vous avez passé de bonnes vacances ? »
« C'était bien la Grèce ? Tu nous as ramené de l'ouzo ? »
« Tu as bronzé ! »

Langage
« Il parle pour ne rien dire » signifie qu'il dit des choses banales, sans intérêt.
« On a parlé de la pluie et du beau temps » : on a parlé de choses sans importance, on a bavardé.

Qu'est-ce qu'ils ont fait ?

Regardez les images (avant et après) et dites ce qui a changé chez chaque personnage.

a

b

c

d

construction du passé composé

Pour l'immense majorité des verbes :
avoir + participe passé :
*J'ai travaillé, tu as fini, il a compris,
nous avons perdu, vous avez entendu,
ils ont ouvert...*
Certains verbes forment leur participe passé
avec le verbe **être** (aller, partir et d'autres
que vous découvrirez plus loin)
Règle générale : les participes passés se terminent
par l'un de ces 3 sons : **[e], [i]** ou **[y]**

Participe passé en « é » : tous les verbes en
« er » : *j'ai mangé, j'ai parlé, je suis allé, je suis
entré...*
participe passé en « i », « is », « it » : *j'ai fini,
j'ai compris, j'ai dit...*
participe passé en « u » : *j'ai vu, j'ai entendu,
j'ai perdu...*
Exceptions : une dizaine de verbes courants :
mourir : *il est mort;* faire : *j'ai fait;* ouvrir :
j'ai ouvert; peindre : *j'ai peint.*

Exercice : participe passé en [i]

Écrivez le participe passé des verbes
dans le tableau suivant :

1. Qu'est-ce que tu as pris ?
2. Tu as bientôt fini ?
3. Qu'est-ce que tu as dit ?
4. Cette nuit, j'ai bien dormi.
5. Vous avez compris ?
6. Il a réussi son examen.
7. Quand est-ce qu'il est parti ?
8. J'ai un peu grossi.
9. On a beaucoup ri.
10. Où est-ce que tu as appris le français ?

infinitif	Participe passé
finir	
dormir	
partir	
réussir	
grossir	
rire	
dire	
prendre	
comprendre	
apprendre	

🌀 **COMPRENDRE**   🎤 **PARLER**

– Allô Maman ! C'est Sophie.
– Bonjour, ma chérie.
  Alors, ça se passe bien
  ces vacances chez
  ta grand-mère ?

Mamie gâteau

Écoutez et dites où Sophie et sa grand-mère sont allées, ce qu'elles ont fait.

a

b

c

d

e

f

> Le verbe **aller**, ainsi qu'une quinzaine d'autres verbes comme **arriver, partir, sortir, entrer, naître, mourir,** se conjuguent au passé composé avec **être**.
> Comme pour un adjectif, vous devez respecter les accords masculin / féminin et singulier / pluriel du participe passé.

Passé composé masculin

je	suis	allé
tu	es	allé
il	est	allé
nous	sommes	allés
vous	êtes	allé(s)
ils	sont	allés

Passé composé féminin

je	suis	allée
tu	es	allée
elle	est	allée
nous	sommes	allées
vous	êtes	allée(s)
elles	sont	allées

Exercice : passé composé avec être ou avoir

Écoutez et dites si vous avez entendu le passé composé avec être ou avoir.
Notez l'infinitif du verbe.

📼	avec **être**	avec **avoir**	infinitif
1			
2			
3			
4			
5			
6			
7			
8			
9			
10			

ÉCRIRE

La carte postale de Sophie.

Écrivez la carte postale que Sophie
envoie à sa mère pour raconter
sa première journée
chez sa grand-mère.

gros bisous de BESANÇON

Exercice : participe passé en [y]

Écrivez le participe passé des verbes dans le tableau suivant :

1. Qu'est-ce que tu as vu ?
2. Je n'ai rien bu.
3. J'ai tout lu.
4. Je n'ai pas pu.
5. Vous n'avez pas répondu
   à ma question.
6. J'ai reçu une lettre de Julie.

7. J'ai attendu plus d'une heure.
8. Il n'est pas venu.
9. Ils ont perdu.
10. Nous avons eu de la chance !
11. J'ai vendu ma voiture.
12. Il l'a connu à Madrid.

infinitif	participe passé
venir	
lire	
avoir	
pouvoir	
voir	
recevoir	
boire	
répondre	
attendre	
vendre	
perdre	
connaître	

Phonétique : graphies du son [ɛ]

Complétez les phrases en choisissant :

1. Il est .... d'un petit village.
   Cet été, je vais au bord de la ....
   Ma .... s'appelle Jacqueline.
   ▨ mère   ▨ maire   ▨ mer

2. Je voudrais une .... de chaussures.
   Il .... son temps !
   C'est le .... de mes enfants.
   ▨ père   ▨ paire   ▨ perd

3. Il y a 6 milliards d'habitants sur ....
   Tu vas te .... !
   J'habite au 64 .... de la rue des Lilas.
   ▨ taire   ▨ terre   ▨ ter

4. 1000 euros ! C'est .... !
   .... amie ! Comment allez-vous ?
   ▨ cher   ▨ chère

5. Je vous offre un .... ?
   Très joli, ton chapeau .... !
   Vous allez .... le centre-ville ?
   ▨ vers   ▨ vert   ▨ verre

6. C'est en bois ou en .... ?
   Il sait tout ....
   ▨ faire   ▨ fer

7. Chéri ! Tu es .... ?
   J'habite .... de la gare.
   ▨ prêt   ▨ près

8. Vous tracez un .... en haut de la page.
   C'est .... amusant.
   ▨ trait   ▨ très

 COMPRENDRE   PARLER

Micro-chansons : être ou pas être

Écoutez les extraits de chansons et faites
la liste des verbes qui, comme aller,
se conjuguent avec « être » au passé composé.

> – *Il est revenu*
>   *le temps du muguet…*

SÉQUENCE 10

OBJECTIFS

Savoir-faire
• parler d'un événement passé (suite)

Grammaire
• le passé composé négatif
• depuis / ça fait / il y a

Lexique
• verbes d'action

Phonétique
• phonie / graphie du son [ɛ] en finale

Écrit
• textes biographiques
• faits divers
• rédiger un message

Culture(s)
• quelques personnages célèbres

 DÉCOUVRIR

Célébrités

Écoutez les enregistrements puis, en vous servant des informations données par les petits textes, identifiez les personnages.

a

b

c

d

e

Marie Curie, (1867-1934), physicienne d'origine polonaise. Avec son mari, Pierre Curie, elle obtient le Prix Nobel de physique en 1903 pour leur étude sur la radioactivité. Elle obtient le Prix Nobel de chimie en 1911.

Marguerite Yourcenar, femme de lettres de nationalités française et américaine (Bruxelles 1903 - Mount Desert, Maine, États-Unis, 1987), auteur de poèmes, d'essais, de pièces de théâtre, de romans historiques (*Mémoires d'Hadrien, l'Œuvre au noir*) ou autobiographiques. En 1980 elle est la première femme élue à l'Académie française.

Le Corbusier : architecte, urbaniste, d'origine suisse (La Chaux-de-Fonds 1887 – Roquebrune-Cap-Martin 1965). Il a renouvelé l'architecture (pour la vie sociale) et l'utilisation de volumes simples. Ses œuvres architecturales les plus connues : la chapelle de Ronchamp et la Cité radieuse à Marseille.

Louis Lumière, chimiste et industriel français (Besançon 1864 - Bandol 1948). Avec son frère Auguste, il a inventé le Cinématographe (1895) et a tourné de très nombreux films. Il a également inventé le premier procédé commercial de photographie en couleurs (1903).

Gustave Eiffel : ingénieur français (Dijon 1832 - Paris 1923). Spécialiste mondial de la construction métallique, il a édifié une série de ponts et de viaducs, et, à Paris, la tour qui porte son nom (1887-1889 ; hauteur 320 m). Il a aussi construit la partie métallique de la statue de la Liberté, à New York (1886).

Séquence 10

C'est fait ou ce n'est pas fait ?

Écoutez les dialogues et dites ce qu'ils ont fait ou n'ont pas fait :

À faire cette semaine	fait	pas fait
■ Faire le plein d'essence	❏	☒
■ Prendre un rendez-vous chez le dentiste	❏	❏
■ Passer au garage	❏	❏
■ Téléphoner à André	❏	❏
■ Écrire à Joëlle pour son anniversaire	❏	❏
■ Payer le téléphone	❏	❏
■ Envoyer des fleurs à Renée	❏	❏
■ Réserver deux places de théâtre pour lundi	❏	❏
■ Inviter les Perrier pour jeudi	❏	❏

– *Pourquoi est-ce que tu n'as pas fait le plein d'essence ?*
– *Excuse-moi, mais j'ai oublié.*

Grammaire

le passé composé négatif

construction :

ne + avoir + **pas** + participe passé   **ne** + être + **pas** + participe passé

je n'ai pas compris	je ne suis pas parti(e)
tu n'as pas compris	tu n'es pas parti(e)
il/elle n'a pas compris	il/elle n'est pas parti(e)
nous n'avons pas compris	nous ne sommes pas parti(e)s
vous n'avez pas compris	vous n'êtes pas parti(e)(s)
ils/elles n'ont pas compris	ils/elles ne sont pas parti(e)s

Remarque : à l'oral, le « ne » de la négation disparaît souvent (*j'ai pas compris, ils sont pas partis*)

Phonétique : phonie / graphie du son [ɛ] en finale.

Lisez et classez les mots qui se terminent par le son [ɛ] dans le tableau :

1. Je vis en paix.
2. Ce n'est pas vrai.
3. Il fait très beau.
4. Tu as de la monnaie ?
5. Tu veux du lait ?
6. Tu connais la forêt de Fontainebleau ?
7. C'est complet.
8. J'habite près d'ici.
9. Je voudrais un ticket de métro.
10. En mai, fais ce qu'il te plaît.

et	
êt	
est	
ès	
ais	
ait	
aît	
ai	
aie	
aix	

PARLER

Non, je n'ai jamais fait ça !

Parmi les événements suivants quel sont ceux qui vous sont déjà arrivés, quels sont ceux qui ne vous sont jamais arrivés ?

- Faire le tour du monde
- Trouver de l'argent dans la rue
- Participer à un rallye automobile
- Prendre l'avion
- Gagner à un jeu
- Écrire un poème
- Dîner avec une vedette de cinéma

- Manger des choses bizarres (comme des grenouilles, des escargots, du serpent…)
- Tomber amoureux
- Sauter à l'élastique
- Perdre vos papiers, vos clefs
- Voir une éclipse de soleil

Grammaire

depuis / ça fait / il y a

Lorsqu'on donne une information, elle est généralement accompagnée d'une indication de temps (jamais, déjà, il y a, depuis, date, année, heure, etc.)

Information précise :
– J'ai fait un voyage en France **en 1998**.
– Je suis né **le 12 avril 1980**.
– Je l'ai vue **hier à midi**.

Information relative (par rapport au moment où vous parlez)
– J'ai commencé mon cours **il y a 6 mois**.
– **Ça fait six mois que** je vis en France.
– J'apprends le français **depuis six mois**.
– **Il y a 6 mois que** Claude est parti.

Remarque : On utilise le passé composé avec « il y a » et le présent avec « depuis… », « ça fait que » et « il y a… que » sauf si ce passé composé est négatif :
– *Je n'ai pas dormi depuis deux jours.*
– *Cela fait longtemps que je n'ai pas vu ton père.*
– *Il y a longtemps qu'il ne m'a pas téléphoné.*
Avec « depuis », l'indication de temps peut être une date, un jour, une heure ou un événement :
– *C'est fermé depuis **le 15 septembre**.*
– *Il est malade depuis **lundi**.*
– *Je vous attends depuis **midi**.*
– *Je ne l'ai pas revu depuis **son mariage**.*

Exercice : indicateurs de temps

Complétez en utilisant il y a / depuis / ça fait… que / il y a… que :

1. Je cherche Pierre. …….. plusieurs jours ……. je l'appelle. Il ne répond pas.

2. Pierre ? Je suis désolé, mais je ne l'ai pas vu ……. 3 semaines.

3. Tu cherches Pierre ? Je l'ai vu ……. une heure près de la gare.

4. Il est parti ……. 5 minutes.

5. Pierre, je l'attends ……. midi.

6. Il m'a téléphoné ……. une heure. Il va être en retard. Sa voiture est en panne.

7. Bonjour Pierre. ……. 2 heures ……. je vous attends !

8. Pierre ? ……. une heure ……. il parle avec le directeur.

Séquence 10

 COMPRENDRE   PARLER

Un voyage mouvementé !

Écoutez. Racontez ce voyage. Avez-vous déjà fait un voyage difficile ?

a   b   c

d   e   f

 LIRE  ÉCRIRE

Ça fait désordre !

Remettez le texte suivant dans l'ordre.

1. M. Leblanc a été légèrement blessé, mais son véhicule a été gravement endommagé.

2. Plus de peur que de mal pour ce conducteur distrait.

3. Hier soir, vers 20 h 30, une voiture Visa Citroën conduite par M. Georges Leblanc, agriculteur à St Maurice, a violemment heurté un panneau de signalisation dans la rue Aristide Briand.

4. Le conducteur a manqué un virage et le véhicule a terminé sa course sur la pelouse de la salle Omnisports.

 COMPRENDRE    PARLER

Est-ce qu'il a dit la vérité ?

Écoutez le dialogue et dites ce que le personnage
a réellement fait ce jour-là.

– *Allô, chérie ?*
– *Marc, ça va ?*
  Ça se passe bien
  au Brésil ?
– *Oui…*

a

b

c

d

e

 COMPRENDRE    ÉCRIRE

Vous pouvez laisser un message

Écoutez les enregistrements et écrivez
les messages correspondants.

– *Allô ? Je voudrais parler à M. Martin.*
– *Il n'est pas là, mais vous pouvez laisser un message.*
– *C'est de la part de Georges Delarue. J'ai rencontré*
  notre client Monsieur Leroux. Il a signé le contrat.
  Je suis à l'hôtel Belvédère. Chambre 216. M. Martin
  peut me joindre au 02 66 82 25 27.
– *C'est noté.*

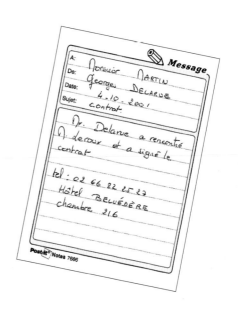

Message
A: Monsieur Martin
De: Georges Delarue
Date: 4.10.2001
Sujet: Contrat

M. Delarue a rencontré
M. Leroux et a signé le
contrat
tel : 02 66 82 25 27
Hôtel BELVÉDÈRE
chambre 216

Post-it® Notes 7686

Videz vos poches.

Voilà ce que Monsieur Pietri a trouvé dans ses poches. Dites ce qu'il a fait aujourd'hui.

Incroyable mais vrai !

Écoutez les conversations, consultez les textes et dites si c'est vrai ou faux.

Robo-Roo

Dernier-né en matière de sécurité routière en Australie : le kangou-rou téléguidé. Les marsupiaux de la série « Robo-Roo » mis au point par le constructeur automobile Holden permettront d'étudier les effets des collisions entre les voitures et les marsupiaux, afin de mettre au point de nouveaux pare-chocs. Les kangourous qui traver-sent inopinément la route causent quelque 20 000 accidents par an.

(Die Welt, Berlin)

Frite-mobile

Rouler à l'huile, c'est possible – mais interdit. Un Allemand s'est fait saisir sa voiture aux Pays-Bas, lors de son passage à la douane. Les douaniers, alertés par la forte odeur de frites émanant du véhicule, ont découvert que le conducteur avait remplacé le gazole par de l'huile de cuisson usagée. Il avait ajouté au moteur quelques tuyaux de sa fabrication. Le bricoleur n'a pas été autorisé à reprendre le volant.

(De Standaard, Bruxelles)

Steack in vitro

Faire un steak sans tuer un bœuf, c'est possible. Des chercheurs néer-landais ont breveté une nouvelle méthode de production de viande fondée sur la culture de cellules à l'échelle industrielle. De petits échantillons cellulaires sont pré-levés sur les bêtes et cultivés dans une solution nutritive. « On peut obtenir d'énormes quantités de cellules en un rien de temps », indiquent les inventeurs, qui pro-duisent ainsi bœuf, poulet, agneau et fruits de mer.

(New Scientist, Londres)

« Moshi moshi »

Vous n'êtes pas du genre à aban-donner votre chien sur une auto-route le 1er août. Au contraire : ça vous fend le cœur de le laisser tout seul quand vous partez au bureau. Grâce au portable pour chien, mis au point au Japon, vous pouvez désormais vous enquérir du moral de votre quadrupède. L'appareil se fixe au collier, précise le Sydney Morning Herald.

Pavlov

S'arrêter de fumer, c'est un jeu d'en-fants avec le briquet à électrodes conçu par Alvin Blum (brevet WO 99/37357). 1. Vous allumez votre cigarette. 2. Vous refermez le cou-vercle. 3. Vous recevez une décharge électrique. 4. Vous cessez rapide-ment de fumer – ou vous changez de briquet.

(New Scientist, Londres)

SÉQUENCE 11

OBJECTIFS

Savoir-faire
- exprimer une demande
- quantifier
- exprimer un jugement
- argumenter
- parler de l'avenir

Grammaire
- le futur (verbes en « er », être, avoir)
- le conditionnel
- le pronom « on »
- les pronoms relatifs « qui » et « que »

Lexique
- aliments, objets usuels
- unités de quantification
- appréciation d'un objet ou d'une personne
- la météo

Phonétique
- expression du doute et de la surprise

Écrit
- liste des courses
- titres de journaux

Culture(s)
- formules de politesse
- différents types d'interaction

🌀 COMPRENDRE

SVP

Écoutez les dialogues et identifiez l'image correspondant à chaque enregistrement :

 **COMPRENDRE**   **PARLER**

Kling !

Écoutez et dites ce qu'ils demandent.

- *Je vais prendre une douzaine de « kling »,
  j'adore les « kling » et ensuite des cuisses
  de « kling » ! Et toi, John ?*
- *(accent anglais) Moi non, c'est horrible
  ce que vous mangez, vous, les Français !*
- *C'est pour ça qu'on nous appelle les « froggies » !*

DES TRANCHES, DES RONDELLES, DES BOÎTES ET DES PAQUETS...

Surprises

Les unités de quantification réservent quelques surprises.

Si, dans un restaurant vous demandez un quart de vin, vous obtenez 25 centilitres de ce breuvage, et 50 cl pour un demi. Mais si vous demandez un demi de bière, on vous servira 25 cl de cette boisson. Pour le poids, une livre correspond à 500 grammes et logiquement une demi-livre à 250 grammes.

Treize à la douzaine

Les œufs se vendent à la douzaine (ils se vendent au kilo dans certains pays). Les escargots et les huîtres sont servis à la douzaine. Si vous achetez une paire de lunettes vous n'obtenez qu'un seul objet.

Vous en obtenez deux s'il s'agit d'une paire de gants, de chaussures ou de chaussettes.

Tranche ou larme ?

Quand on coupe le pain, le jambon, ou un rôti, on obtient une tranche, quand on coupe le saucisson, on obtient une rondelle.

Si vous demandez « deux doigts de porto » on vous en servira une petite quantité. Cette quantité sera encore

plus petite, si vous demandez « une larme » d'une quelconque boisson. Parmi les expressions qui désignent de petites quantités il y a également la pincée de sel, le zeste de citron et la goutte de lait.

Emballage

Se vendent en paquet les pâtes, le café, en boîte les allumettes, les conserves (tomates, petits pois, etc.). Selon le conditionnement, on demandera un sachet de sucre, de thé ou de café, une pochette d'allumettes, une brique de lait.

COMPRENDRE

Faites les courses

Écoutez les dialogues et dites dans quel magasin cela se passe.

LISTE DES COURSES
Le guide du routard sur la Thaïlande
1 kilo de farine
1 bouteille d'eau minérale
1 baguette
4 croissants
1 poulet
4 tranches de jambon
1 tube d'aspirine.

le conditionnel

en rouge les formes qui vous seront utiles pour exprimer une demande polie

pouvoir		**vouloir**		**aimer**		**avoir**	
je	pourrais	je	voudrais	j'	aimerais	j'	aurais
tu	pourrais	tu	voudrais	tu	aimerais	tu	aurais
il/elle	pourrait	il/elle	voudrait	il/elle	aimerait	il/elle	aurait
nous	pourrions	nous	voudrions	nous	aimerions	nous	aurions
vous	pourriez	vous	voudriez	vous	aimeriez	vous	auriez
ils/elles	pourraient	ils/elles	voudraient	ils/elles	aimeraient	ils/elles	auraient

le schéma de la demande polie

1. Je salue : *bonjour Monsieur, Madame ou Mademoiselle*
2. J'exprime ma demande (en utilisant le conditionnel) : *je voudrais un paquet de café ; est-ce que vous auriez encore des places pour le match de mardi ? Est-ce que vous pourriez me conseiller ?*
3. Je remercie : *je vous remercie, merci beaucoup.*
4. Je prends congé : *au revoir Madame, Mademoiselle, Monsieur*
Dans la vie courante, il est fréquent d'exprimer une demande de façon plus directe en se limitant aux formules de politesse de base : *Bonjour, au revoir, s'il vous plaît, merci.*
Un café, s'il vous plaît !
Bonjour, Le Monde et Télérama !

 COMPRENDRE   PARLER

Un peu de vocabulaire !

Écoutez et identifiez les objets évoqués.

Exercice : les trois « on »

Dans les phrases suivantes, dites ce que signifie le pronom on.

nous
(langue parlée)

quelqu'un
(une personne indéterminée)

ON

les gens en général, la population

	nous	les gens	quelqu'un
1. Qu'est-ce qu'on fait ce week-end ?			
2. On frappe à la porte. Va ouvrir !			
3. On part à quelle heure demain matin ?			
4. Quand on est poli, on dit « merci ! »			
5. On s'appelle demain soir ?			
6. Au Brésil, on parle portugais.			
7. Dépêche-toi, on va être en retard !			
8. On m'a dit d'attendre ici.			
9. Bonjour, on voudrait un renseignement.			
10. En France, on peut acheter des timbres à la poste ou dans un bureau de tabac.			

Juger une attitude

❶ Écoutez les deux premiers dialogues et dites ce qu'on pense de Jean-Marie
et de M. Lambert, le directeur.
❷ Écoutez les dialogues suivants et dites si c'est Jean-Marie ou M. Lambert qui parle.
Essayez de qualifier chaque attitude.

– *Comment tu le trouves Jean-Marie ?*
– *Très gentil, toujours aimable,*
  jamais impoli.
  Il ne se met jamais en colère.
– *Oui, c'est vrai. Il a toujours un petit*
  compliment pour tout le monde !
– *Moi, ce que j'aime bien,*
  c'est sa franchise.
  Il dit toujours ce qu'il pense.

❶ Ce qu'on pense de...

	M. Lambert	Jean-Marie
il est poli		
il est impoli		
il est aimable		
il est franc		
il est gentil		
il est agressif		
il est sévère		
il est méchant		

❷ Qui parle ?

	M. Lambert	Jean-Marie
1		
2		
3		
4		
5		
6		
7		
8		

Exercice : qui / que

Complétez en utilisant qui ou que.

1. C'est une région .... j'aime beaucoup.
2. C'est un garçon .... fait beaucoup de sport.
3. C'est le sport .... je préfère.
4. C'est un quartier .... est très animé.
5. J'ai rencontré quelqu'un .... tu connais.
6. J'ai parlé avec une fille .... te connaît.
7. Merci pour les fleurs .... tu m'as envoyées !
8. Il s'appelle comment le monsieur .... vient
   de sortir ?
9. Il y a un mot .... je ne comprends pas.
10. Je cherche quelqu'un .... parle le portugais.

Grammaire

les relatifs qui / que

– *Pierre aime* le travail bien fait.
– *Pierre, c'est un garçon **qui aime** le travail*
  bien fait.
– *J'aime* beaucoup *Pierre*.
– *Pierre, c'est un garçon **que j'aime** beaucoup.*

Que a un fonctionnement proche de **le, la, les** :
– *Claude Legrand ? Je **le** connais très bien.*
– *Claude Legrand, c'est quelqu'un **que** je connais*
  très bien.

 COMPRENDRE   PARLER

Pour ou contre les téléphones mobiles ?

Écoutez les enregistrements et dites si la personne interrogée est pour ou contre les téléphones mobiles. Identifiez les arguments utilisés.

> – *Monsieur, quelle est votre opinion sur les téléphones mobiles ?*
> – *Attendez, j'ai un appel.*
> – *Allô ?*
> – *Allô Monsieur, excusez-moi de vous déranger, mais je fais une enquête sur les utilisateurs de téléphones portables.*

📟	pour	contre
1		
2		
3		
4		
5		

Arguments :

- C'est cher.
- C'est inutile.
- C'est insupportable dans certains lieux.
- C'est dangereux en voiture.
- C'est pratique.
- C'est un outil de travail.
- C'est utile dans certaines circonstances.

Phonétique : doute, surprise

Écoutez et dites si ce que vous avez entendu exprime le doute ou la surprise :
Exemple :
Il a acheté une Mercedes. (doute)
Jacques a réussi son examen ! (surprise)

📟	doute	surprise
1		
2		
3		
4		
5		
6		
7		
8		
9		
10		

 COMPRENDRE   LIRE

Le journal d'hier et celui de demain

Écoutez les enregistrements et attribuez les titres au journal qui convient.

a

LA LIBERTÉ
La liberté de la presse ne s'use que si on ne s'en sert pas

lundi 5 mars 2001

Le Premier ministre japonais en visite officielle en France

**Ce soir : Football
Marseille-Bordeaux : le choc des géants**

b

LA LIBERTÉ
La liberté de la presse ne s'use que si on ne s'en sert pas

mardi 6 mars 2001

Signature de l'accord économique franco-japonais : un « plus » pour les deux économies

**Nouvelle hausse de la bourse
+ 2,5 % soit 5,5 % en deux jours**

c

LA LIBERTÉ
La liberté de la presse ne s'use que si on ne s'en sert pas

mercredi 7 mars 2001

**La pollution au cœur des discussions.
Ouverture du sommet de Copenhague**

d

LA LIBERTÉ
La liberté de la presse ne s'use que si on ne s'en sert pas

jeudi 8 mars 2001

La bourse en hausse : + 3 %

Marseille a pris la tête du championnat !

Grammaire

la formation du futur simple des verbes en -er

Terminaisons :		arriver	
je	→ -erai	j'	arriverai
tu	→ -eras	tu	arriveras
il/elle	→ -era	il/elle	arrivera
nous	→ -erons	nous	arriverons
vous	→ -erez	vous	arriverez
ils/elles	→ -eront	ils/elles	arriveront

manger → je mange → je mangerai, tu mangeras, etc.
parler → je parle → je parlerai, tu parleras, etc.

COMPRENDRE    PARLER

Beau temps sur toute la France

Écoutez et dites quelle image correspond
à chaque bulletin météo :

> – Demain, il neigera sur les Alpes
> et le Massif central.
> Les températures seront comprises
> entre – 4° dans l'Est du pays et + 5°
> dans la partie Ouest de la France.

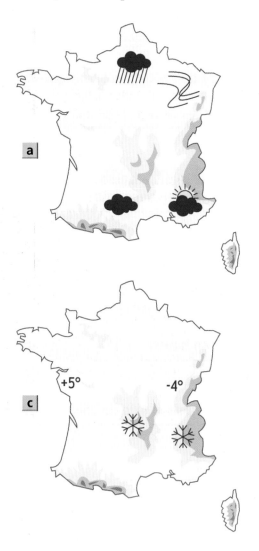

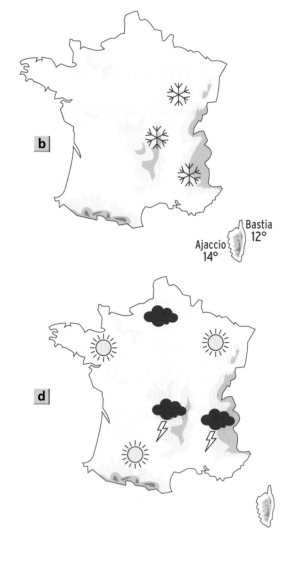

être au futur		avoir au futur	
je	serai	j'	aurai
tu	seras	tu	auras
il/elle	sera	il/elle	aura
nous	serons	nous	aurons
vous	serez	vous	aurez
ils/elles	seront	ils/elles	auront

neige   nuages   orage   pluie

OBJECTIFS

Savoir-faire
- première approche du récit

Grammaire
- l'imparfait
- imparfait / passé composé

Lexique
- événements de la vie
- description physique

Phonétique
- [t] / [d]

Écrit
- rédiger un message suite à un appel téléphonique

Culture(s)
- nostalgie du passé
- évolution de la société
- chansons françaises

 *DÉCOUVRIR*

Comme au cinéma

❶ Regardez la scène et racontez ce que vous voyez.
❷ Écoutez et dites quelle est la meilleure description de la scène.

COMPRENDRE

Le passé en chansons

Écoutez les extraits de chansons et dites si vous avez entendu l'imparfait ou le passé composé. Savez-vous quelles chansons sont interprétées par Jacques Brel, Georges Brassens, Jeanne Moreau et Yves Montand ?

être à l'imparfait		avoir à l'imparfait		faire à l'imparfait	
j'	étais	j'	avais	je	faisais
tu	étais	tu	avais	tu	faisais
il/elle	était	il/elle	avait	il/elle	faisait
nous	étions	nous	avions	nous	faisions
vous	étiez	vous	aviez	vous	faisiez
ils/elles	étaient	ils/elles	avaient	ils/elles	faisaient

Grammaire

l'imparfait : à quoi ça sert ?

Lorsque vous racontez un événement, vous devez donner deux types d'informations :

• **Informations concernant des actions :** pour cela vous utiliserez le **passé composé** :
– *J'ai glissé et je suis tombé.*

• **Informations concernant le décor, la situation :** pour cela vous utiliserez l'imparfait :
– *Il y avait de la neige, j'ai glissé et je suis tombé.*
L'imparfait est fréquemment utilisé pour :
• décrire des personnages :
– *il était grand, il avait des lunettes de soleil, elle était petite,* etc.
• donner des informations sur le contexte :
– *il y avait du soleil, il pleuvait, il faisait beau, c'était intéressant,* etc.
• évoquer l'état psychologique ou physique des personnages :
– *Pierre était en forme, j'étais malade, j'avais mal à la tête,* etc.

Exercice

Complétez en utilisant c'était, il y avait ou il faisait.

1. .... beaucoup de monde chez Jean-Louis ?
2. .... bien tes vacances en Crète ?
3. Je suis sorti. ...... trop chaud.
4. Je suis en retard, ... des embouteillages.
5. J'ai passé une bonne soirée. .... très sympa.

6. Quand je suis arrivé, ... trop tard.
7. .... froid, mais .... du soleil.
8. Je n'ai pas pu entrer, ... complet.
9. .... très froid et .... du vent.
10. Je suis allé à la piscine, mais .... fermé.

 COMPRENDRE PARLER

Alors raconte...

Écoutez les enregistrements et imaginez ce que racontent les personnages.

a₁

a₂

b₁

b₂

c₁

c₂

Exercice : repérage de l'imparfait

Dites si vous avez entendu l'imparfait ou autre chose :

🎞	imparfait	autre chose
1		
2		
3		
4		
5		
6		
7		
8		
9		
10		

Grammaire

la formation de l'imparfait

Les terminaisons :
-ais, -ais, -ait, -ions, -iez, -aient.

parler		**pouvoir**	
je	parlais	je	pouvais
tu	parlais	tu	pouvais
il/elle	parlait	il/elle	pouvait
nous	parlions	nous	pouvions
vous	parliez	vous	pouviez
ils/elles	parlaient	ils/elles	pouvaient

Si vous connaissez le présent d'un verbe et son pluriel avec **nous**, vous pouvez former l'imparfait (cela fonctionne avec la totalité des verbes sauf avec le verbe être)
je pars, nous **part**ons → je **part**ais, tu **part**ais,...
je viens, nous **ven**ons → je **ven**ais, tu **ven**ais,...
je vois, nous **voy**ons → je **voy**ais, tu **voy**ais,...
je prends, nous **pren**ons → je **pren**ais, tu **pren**ais,...

 **COMPRENDRE** **PARLER**

Les enquêtes du commissaire Poulet

Aujourd'hui, c'est le 15 mars. Regardez le document, écoutez les enregistrements. Dites si ce qu'il a dit est vrai ou faux et si nécessaire, rectifiez l'information.

8 mars : voyage à Lyon

9 mars : retour à Paris

10 mars : déjeuner avec Laura Avril

11 mars : interview de Claude Vigner

12 mars : malade grippe. Rendez-vous chez le docteur Legrand

13 mars : malade. Rendez-vous avec Laurent Grosjean annulé.

14 – 15 mars : week-end à Deauville avec Laura.

Exercice : la formation de l'imparfait

Classez les verbes dans le tableau :

1. Maintenant je comprends tout.
2. Nous comprenons très bien.
3. Avant, je ne comprenais rien.
4. Nous voulons vous parler.
5. Je veux voyager.
6. Qu'est-ce que tu voulais ?
7. Nous faisons notre travail.
8. Je ne fais rien.
9. Qu'est-ce que tu faisais ?
10. Je ne sais pas.
11. Nous savons nager.
12. Excuse-moi, je ne savais pas.

	Présent avec je	Présent avec nous	Imparfait
comprendre			
vouloir			
faire			
savoir			

Laquelle de ces affirmations est juste ?

Pour former l'imparfait d'un verbe :
❑ il faut utiliser la forme du présent avec « je »
❑ il faut utiliser la forme du présent avec « nous »

Phonétique : [t] / [d]

Dites si vous entendez le son [t], le son [d], ou les deux.

🔊	[t]	[d]	[t] et [d]
1			
2			
3			
4			
5			
6			
7			
8			
9			
10			

 COMPRENDRE    PARLER

Nostalgie...

Lisez le texte de la chanson de Jacques Dutronc puis écoutez la chanson et répondez aux questions.

❶ Quel est le jardin qui ressemble au jardin de la chanson ?

 a

b

❷ Qu'est devenu le petit jardin ?

 a

 b

Le petit jardin

C'était un petit jardin
Qui sentait bon le métropolitain,
Qui sentait bon le bassin parisien.
C'était un petit jardin
Avec une table et une chaise de jardin,
Avec deux arbres un pommier et un sapin
Au fond d'une cour à la Chaussée d'Antin.
Mais un jour, près du jardin,
Passait un homme qui, au revers de son veston,
Portait une fleur de béton.
Dans le jardin une voix chanta :

Refrain :
De grâce, de grâce,
Monsieur le Promoteur,
De grâce, de grâce
Préservez cette grâce.
De grâce, de grâce,
Monsieur le Promoteur,
Ne coupez pas mes fleurs.

C'était un petit jardin
Qui sentait bon le métropolitain,
Qui sentait bon le bassin parisien.
C'était un petit jardin
Avec un rouge-gorge dans son sapin,
Avec un homme qui faisait son jardin,
Au fond d'une cour à la Chaussée d'Antin.
Mais un jour, près du jardin,
Passait un homme qui, au revers de son veston,
Portait une fleur de béton.
Dans le jardin une voix chantait :

Refrain

C'était un petit jardin
Qui sentait bon le bassin parisien.
À la place du joli petit jardin,
Il y a l'entrée d'un souterrain
Où sont rangées comme des parpaings
Les automobiles du centre urbain.
C'était un petit jardin
Au fond d'un' cour à la Chaussée d'Antin.
C'était un petit jardin
Au fond d'un' cour à la Chaussée d'Antin.

Culture(s)

Les objets ou les réalisations qui ont marqué la France depuis les années 50

Écoutez les dialogues, identifiez les objets ou les réalisations
qui sont mentionnés, dites s'ils sont nés dans les années
50, 60, 70, 80, ou 90.

a

b

c

d

e

f

g

h

i

j

k

Culture(s)

l

m

n

o

p

q

r

s

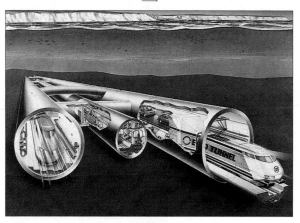

t

Culture(s)

Écoutez la chanson « Douce France » et dites quelles images elle évoque pour vous.

Douce France

Il revient à ma mémoire des souvenirs familiers
Je revois ma blouse noire lorsque j'étais écolier
Sur le chemin de l'école je chantais à pleine voix
Des romances sans paroles, vieilles chansons d'autrefois

Douce France, cher pays de mon enfance
Bercée de tendre insouciance
Je t'ai gardée dans mon cœur
Mon village, au clocher, aux maisons sages
Où les enfants de mon âge ont partagé mon bonheur
Oui je t'aime et je te donne ce poème
Oui je t'aime, dans la joie ou la douleur

Douce France, cher pays de mon enfance
Bercée de tendre insouciance
Je t'ai gardée dans mon cœur

Oui je t'aime et je te donne ce poème
Oui je t'aime, dans la joie ou la douleur

Douce France, cher pays de mon enfance
Bercée de tendre insouciance
Je t'ai gardée dans mon cœur

Charles Trenet

Culture(s)

Lisez le texte et dites quels sont les événements qui ont marqué l'évolution de votre société.

LA NOSTALGIE DU PASSÉ

Un passé différent

La société française, comme beaucoup d'autres, a connu d'énormes changements au cours des 50 dernières années.

Les moins de 20 ans sont nés dans une société qui découvrait l'informatique, l'ère de la communication, la télévision par satellite, Internet, le téléphone portable, les jeux vidéo, les transports rapides, avions, TGV, la « mondialisation », mais aussi le chômage, les difficultés sociales, le Sida, la pollution. Ceux qui ont 40-50 ans se souviennent que la majorité est passée de 21 à 18 ans en 1973. Ils ont connu la révolte sociale de 1968, la croissance économique et la crise qui a suivi. Les femmes de plus de 60 ans se rappellent qu'elles ont obtenu le droit de vote en 1944 et que la pilule date des années 70.

Les plus âgés des Français ont connu une guerre mondiale, quelquefois deux.

Des regrets

La perception du passé est différente quand on a 20 ans, 40 ans, 60 ans, 80 ans ou plus.

Certains éprouvent de la nostalgie pour les années 60-70, époque où il était facile de trouver du travail, d'autres pour les années 68-70, période de révolution culturelle dont le slogan était « l'imagination au pouvoir », et pour les plus jeunes des mouvements lycéens des années 80, ou pour de grandes causes comme la lutte contre le racisme, les « restaurants du cœur », d'autres plus simplement pour leur enfance.

La musique est souvent liée aux souvenirs, celle des premiers amours, des années rock, des festivals de musique des années 70…

Langage

Pour parler d'une époque heureuse :
« C'était le bon temps ! »
Pour exprimer un regret :
« De mon temps, il n'y avait pas de pollution ! »
« Autrefois, ce qu'on mangeait avait du goût ! »
« Quand j'étais jeune, c'était facile de trouver du travail »

Le hit-parade du millénaire

Pour les Français, les événements les plus importants du millénaire ont été les suivants :
– La Révolution et la Déclaration des droits de l'homme en 1789 (60 %) ;
– L'abolition de l'esclavage dans les colonies françaises en 1848 (39 %) ;
– L'ouverture du mur de Berlin en 1989 (31 %) ;

– L'invention du vaccin contre la rage par Pasteur en 1885 (29 %) ;
– Les premiers pas sur la Lune en 1969 (26 %) ;
– La découverte de l'Amérique par Christophe Colomb en 1492 (25 %) ;
– L'explosion de la bombe atomique à Hiroshima en 1945 (21 %) ;
– L'attentat de Sarajevo et le déclenchement de la Première Guerre mondiale en 1914 (14 %).

ÉVALUATION

1. Compréhension orale

Écoutez le dialogue entre Julie et Pascale, puis remplissez le questionnaire.
Dites pour chaque activité si c'est Julie ou Pascale qui l'a faite.

	Julie	Pascale
1. aller au cinéma		
2. acheter une robe		
3. manger au restaurant		
4. manger chez des amis		
5. voir une exposition		
6. rester à la maison		
7. rentrer tard		
8. faire les courses		
9. aller en Suisse		

2. Expression orale

Êtes-vous capable de raconter votre journée d'hier ?
Êtes-vous capable de raconter une histoire à partir des images suivantes ?

a   b   c   d

3. Compréhension écrite

Reconstituez le texte.

1. Ces camionneurs protestaient contre l'annonce du licenciement de 40 personnes dans leur entreprise en faillite.

2. Plusieurs camionneurs ont manifesté sur le périphérique bloquant la circulation dans Paris.

3. Il y a eu hier soir un embouteillage gigantesque à Paris.

4. La police n'a pas pu intervenir et certains automobilistes ont mis quatre à cinq heures pour regagner leur domicile.

5. Comme nous étions vendredi, la circulation était très dense.

4. Expression écrite

Écoutez l'enregistrement et écrivez le CV en utilisant les rubriques suivantes :

- Nom
- Prénom
- Date et lieu de naissance
- Situation de famille
- Études
- Activités professionnelles
- Loisirs / Divers

OBJECTIFS

Savoir-faire
- demander son chemin
- demander un horaire
- demander / donner une information
- utiliser diverses sources d'information
- organiser une demande

Grammaire
- le conditionnel
- les prépositions de lieu
- en / y
- dire où / quand / pourquoi
- les mots interrogatifs

Lexique
- localisation dans l'espace

Phonétique
- intonation de la demande

Écrit
- transmettre un programme par mél
- utiliser des informations écrites pour répondre à une demande orale
- rédiger une demande d'information

Culture(s)
- loisirs parisiens
- attitudes

 DÉCOUVRIR

C'est pour un renseignement...

Écoutez et dites sur quoi porte la demande, puis identifiez le document correspondant à chaque demande.

— Pardon, Monsieur. Je cherche le restaurant Le Cyrano. Est-ce que vous pourriez me dire où se trouve la rue Edmond Rostand ?

a

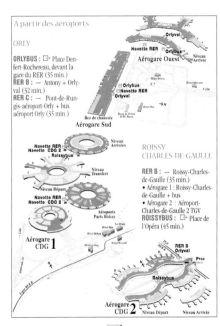

b

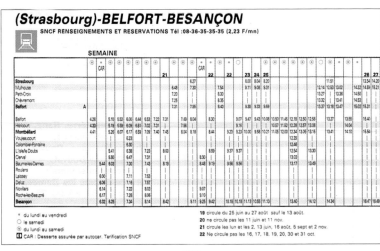

c

d

COMPRENDRE   **PARLER**

Itinéraire sonore

Écoutez et reconstituez l'itinéraire emprunté par le personnage.

entre

à côté de
près de

dans

sur / au-dessus de
sous / au-dessous de

devant
derrière

à droite

à gauche

tout droit

traverser

passer devant

tourner autour

en face de

au coin de
à l'angle de

---

le verbe dire

Sa construction dépend du type de question posée :

- Avec **est-ce que** :
- **Est-ce que** Monsieur Morales est là ?
- Est-ce que vous pourriez me dire **si** Monsieur Morales est là ?
- Avec **qu'est-ce que** :
- **Qu'est-ce que** je dois faire ?
- Est-ce que vous pourriez me dire **ce que** je dois faire.

- Avec **où, quand, qui, pourquoi, comment, combien**, le mot interrogatif est répété :
- Tu peux me dire **où** est Claudine ?
- Tu peux me dire **quand** tu seras prêt ?
- Tu peux me dire **qui** je dois appeler ?
- Vous pourriez me dire **comment** ça marche ?
- Vous pouvez me dire **combien** ça coûte ?

Perdu dans la ville !

Écoutez et donnez le renseignement demandé.

---

organiser une demande

- **Pour s'adresser à son interlocuteur :**
  - *Est-ce que vous pourriez...*
- **Pour préciser la demande :**
  - *Est-ce que vous pourriez me dire / m'expliquer / me montrer...*
- **Pour préciser la nature de la demande (lieu, horaire, explication, etc.)**
  - *Est-ce que vous pourriez me dire où...*
  - *Est-ce que vous pourriez me dire à quelle heure...*
  - *Est-ce que vous pourriez me dire pourquoi / comment / combien...*

- **Pour formuler la demande :**
  - *Est-ce que vous pourriez me dire où se trouve la gare ?*
  - *Est-ce que vous pourriez me dire à quelle heure arrive le train de Paris ?*
  - *Est-ce que vous pourriez me dire pourquoi le train est en retard ?*
  - *Est-ce que vous pourriez me dire combien ça coûte ?*

Exercice : expression de la demande

Reformulez chaque demande en une seule phrase.

1. – S'il vous plaît, Monsieur !
   – Oui.
   – Je cherche la gare…
   – Laquelle ? La gare du Nord, de l'Est, de Lyon ?
   – La gare Montparnasse.

2. – Voilà, je veux m'inscrire.
   – Aux cours du soir ou de l'après-midi ?
   – Aux cours du soir. Qu'est-ce que je dois faire ?

3. – J'attends quelqu'un au train de Paris.
   – Oui.
   – Il arrive à quelle heure ?

4. – Il y a du courrier pour moi ?
   – Votre nom ?
   – Claude Durand.
   – Votre numéro de chambre ?
   – 123.

5. – Le vol AF 387 a été annulé ?
   – Oui, Monsieur.
   – Et vous pouvez me dire pourquoi ?

6. – Je suis intéressé par cet agenda électronique.
   – Vous avez raison, c'est du très bon matériel.
   – Et comment ça marche ?

LIRE — **COMPRENDRE** — **PARLER**

Horaires en tout genre

Écoutez et en vous servant des documents suivants, donnez l'information demandée.

Docteur Jean Mangin
Médecine générale
35, rue de la Santé 75013 Paris
Tél/Fax : 01 33 33 33 33
Consultations : sur rendez-vous
Lundi : 14 h - 18 h
Mardi - Vendredi : 16 h - 19 h
Mercredi : 10 h - 12 h et 14 h -17 h
Samedi 9 h - 12 h

7h15 précises : Départ du bus de la place Chamars

8h00 : Arrivée à Ornans. Petit déjeuner au bar des Boulistes

9h15 - 11h00 : Visite guidée du musée Gustave Courbet

12h00 : Repas pris en commun au restaurant La Loue

15h30 : Retour à Besançon

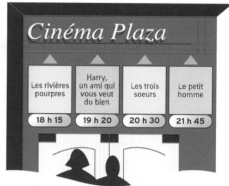

Cinéma Plaza

Les rivières pourpres	Harry, un ami qui vous veut du bien	Les trois soeurs	Le petit homme
18 h 15	19 h 20	20 h 30	21 h 45

Exercice : le conditionnel

Reformulez les phrases d'une façon plus polie.

1. Tu peux me donner l'adresse de Paul ?

2. Je veux un kilo de pommes.

3. Vous avez du feu ?

4. Vous pouvez me dire où se trouve la poste ?

5. Vous m'apportez l'addition ?

6. Un perrier citron et un café crème !

7. Vous avez le même modèle, mais un peu plus grand ?

8. Vous pouvez sortir quelques minutes ?

Phonétique : intonation de la demande

Écoutez et dites ce que signifie chaque couple d'enregistrement.

1. ordre ou amusement ?

2. demande ou reproche ?

3. ordre ou proposition ?

4. satisfaction ou déception ?

5. ordre ou demande ?

6. conseil ou avertissement ?

7. ordre ou demande ?

8. surprise ou protestation ?

Exercice : les mots interrogatifs

Complétez en choisissant le mot interrogatif qui convient.

1. Je voudrais savoir .... part le prochain train pour Paris.
   ■ où   ■ à quelle heure   ■ comment

2. Est-ce que vous pourriez me dire .... faire pour obtenir une carte d'étudiant ?
   ■ comment   ■ pourquoi   ■ où

3. Est-ce que vous savez .... le musée va ouvrir ?
   ■ pourquoi   ■ où   ■ quand

4. J'aimerais savoir .... le cours de samedi est annulé.
   ■ comment   ■ pourquoi   ■ à quelle heure

5. Est-ce que tu sais .... je dois m'adresser pour faire des photocopies ?
   ■ à qui   ■ quand   ■ comment

6. Est-ce que vous pourriez me dire .... Monsieur Lefort est là ?
   ■ où   ■ si   ■ comment

7. Vous pourriez m'expliquer .... je dois faire ?
   ■ si   ■ pourquoi   ■ ce que

8. Est-ce que tu sais .... la réunion est terminée ?
   ■ si   ■ comment   ■ où

 **COMPRENDRE**    **PARLER**

Mais de quoi ils parlent ?

Écoutez, dites si vous avez entendu en ou y
puis dites ce que remplace chaque pronom.

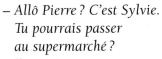

– Allô Pierre ? C'est Sylvie.
  Tu pourrais passer
  au supermarché ?
– J'y suis.
– Tu peux acheter du pain ?
  Il n'y en a plus.
– J'en ai acheté.

a

d

f

b

e

c

g

Grammaire

les pronoms *en* et *y*

En :
• Pour remplacer un mot construit avec **du, de la, des**.
– *Tu veux du pain ?*
– *Non merci, j'en ai.*
– *Tu veux encore du café ?*
– *Non merci, j'en ai déjà bu trois ce matin.*
• Pour remplacer un mot employé avec un nombre.
– *Toi aussi, tu as deux enfants ?*
– *Non, j'en ai trois !*

Y :
• Pour remplacer une expression de lieu
construite avec **à, au, à la**.
– *Tu es allé à la banque ?*
– *Oui, j'y suis allé ce matin.*

COMPRENDRE   **ÉCRIRE**

Si tu vas à Rio...

Écoutez et rédigez le courrier électronique destiné au conférencier.

– *Allô, bonjour Mademoiselle. Ici Jean Lavigne de l'université de Bordeaux III. Je dois faire une série de conférences au Brésil sur l'Amérique latine et la littérature française et on m'a dit de contacter M. Pierre Lefranc pour mettre au point mon programme.*
– *Ne quittez pas, je vous le passe.*

Exercice : en / y

Complétez en utilisant en ou y.

1. Il y a du gâteau. Tu .... veux ?
2. J'....... suis, j'....... reste !
3. Tu vas encore chez le coiffeur ! Tu .... es déjà allée la semaine dernière !
4. C'est excellent ! Je vais .... reprendre un peu.
5. C'est un quartier tranquille. J'....... habite depuis plus de 20 ans.
6. Hmm… Ça a l'air bon. Tu m'....... donnes ?
7. Passez demain à mon bureau. J'....... serai à partir de 9 heures.
8. C'est un excellent restaurant. On .... mange très bien.
9. C'était très bon. J'....... ai repris deux fois.
10. J'arrive de Madrid. J'....... retourne dans une semaine.

Les paroles s'envolent, les écrits restent

Écoutez les extraits de dialogues et identifiez le document écrit qui correspond à chaque demande.

Salut Antoine !

Ce mot rapide pour t'inviter samedi 24
(je fête mon anniversaire).
Pourrais-tu me confirmer ta venue ?
(pour savoir combien nous sommes !)
À samedi, j'espère. Je t'embrasse.

Claudine

Sandra Bellini
12, avenue Berlioz
64000 Pau

Madame,
Pourriez-vous, s'il vous plaît, m'envoyer une fiche
d'inscription en première année ?

D'avance, je vous en remercie.

S. Bellini

Monsieur le Directeur,

De passage à Paris la semaine prochaine, je souhaiterais
réserver une chambre pour la nuit du 4 au 5 juillet dans
votre établissement.

Vous trouverez ci-joint un chèque de 70 euros à titre
d'avance pour réservation.

Veuillez agréer mes salutations distinguées.

Jean Delatour

Chère Madame Bignolle,

Je vous envoie cette carte pour vous demander un petit
service : pourriez-vous, s'il vous plaît, relever mon courrier dans ma boîte pendant mon absence ? (J'ai oublié de
vous en parler avant de partir).

Je vous remercie et vous adresse mes salutations ainsi que
celles de mon épouse.

Claude Fourrier

Cher ami,
Je souhaiterais vous rencontrer à notre
agence de Lyon vers 16h30, le lundi
17 février.
Amicalement,

Éric Coudot

---

rédiger une demande

Destinataire :	Formulation de la demande :	Éventuellement, formulation d'une explication :
Cher ami *Monsieur le directeur* *Madame, Monsieur,* *etc.*	*Je souhaiterais... vous rencontrer* *Pourrais-tu... me téléphoner* *Pourriez-vous... m'envoyer...*	*Je dois passer quelques jours à Paris...* *J'ai bien lu votre rapport...* *Je serai absent quelques jours...*

Formule de politesse :
Amicalement... Je t'embrasse... Je vous adresse mes salutations...
Veuillez agréer mes salutations distinguées (formel)

Remarque : à l'oral, on utilise l'interrogation directe (Tu pourrais... ?) ou « est-ce que » (Est-ce que vous pourriez... ?),
à l'écrit, l'interrogation est souvent inversée (Pourriez-vous... ?).

Paris sera toujours Paris !

Vous organisez un séjour à Paris. Écoutez les conversations et donnez l'information demandée. Précisez les prix, les horaires, donnez des conseils en vous servant des documents suivants.

Canauxrama

INFO : 01 42 39 15 00

METRO : stations Jaurès, Stalingrad, Bastille
BUS : 20-26-29-65-76-86-87-91

Creusé de 1822 à 1825, le canal St-Martin était destiné à approvisionner Paris en marchandises. Ses écluses, ses ponts tournants et sa magnifique voûte au départ du port de l'Arsenal (à Bastille) émaillent un parcours charmant qui va de la Bastille à la Villette. Canal St-Martin départs : 9h45 bassin de la Villette 13, quai de la Loire 75019 Paris et 9h45 port de l'Arsenal, face au 50, bd de la Bastille 75012 Paris.

a

– Voilà, je suis à Paris pour le week-end avec mes deux enfants. Qu'est-ce que vous me conseillez ?

Galeries Lafayette

RER A : Auber
METRO : Chaussée-d'Antin-Lafayette, Havre-Caumartin
BUS : 20-21-26-27-29-32-43-49-53-66-68-81-95

Les Galeries Lafayette sont le symbole de la mode parisienne à travers le monde. Sous la coupole, vous y découvrirez un choix incomparable des plus grands noms de la mode, de la beauté, des accessoires, des arts de la table et de la décoration. Ouverture : du lundi au samedi de 9h30 à 18h45. Nocturne le jeudi jusqu'à 21h.

b

Musée du Louvre

INFO : 01 40 20 50 50

METRO : Palais-Royal-Musée-du-Louvre, Louvre-Rivoli
BUS : 21-24-27-39-48-67-68-69-72-74-76-81-85-95

Forteresse édifiée par Philippe Auguste (XIIIᵉ siècle), palais de la Renaissance sous François Iᵉʳ, le Louvre est converti en musée en 1793. Il est organisé de façon géographique selon trois ailes : Denon, Sully et Richelieu, correspondant aux directions partant du hall Napoléon (rez-de-chaussée de la pyramide). Depuis 1993, le Louvre est le plus grand musée du monde et ne cesse d'offrir de nouvelles salles aux visiteurs. Ouverture : 9h. Fermeture : mardi.

c

Jardin d'acclimatation

Bois de Boulogne 75016 Paris - INFO : 01 40 67 77 02 - 01 40 67 90 82

METRO : Les Sablons
BUS : 73-244-PC

Un parc d'éveil et de loisirs pour la famille ! Une grande variété d'activités mêlant pédagogie et distraction : en pleine nature, passez des manèges et attractions à la ferme des animaux, pratiquez des sports, assistez à un spectacle, visitez un musée. Ouverture : 10h. Ateliers enfants : 10h-16h.

d

Roue Libre

METRO : Les Halles
RER A-B-D : Châtelet-Les-Halles

Roue Libre est un service de la RATP qui vous permet depuis plus de 17 ans de découvrir Paris et ses alentours d'une autre façon. Avec Roue Libre baladez-vous à vélo en toute sécurité et en toute liberté accompagnés ou non de guides. Location de vélos (adultes, enfants) et balades guidées à partir du centre de Paris et sur d'autres sites. Prix : de 20 F (3,04 €) l'heure à 75 F (11,43 €) la journée (assurance comprise). Balades guidées à partir de 100 F (15,24 €). Rens. guide Roue libre gratuit disponible dans tous les guichets RATP.

e

✹ DÉCOUVRIR

Suivez la consigne !

Écoutez et identifiez l'image qui correspond au résultat de chaque consigne.

a

– *Attention ! Ne bougez plus ! Souriez !*

b

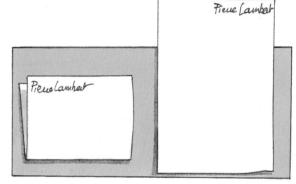

c

d

e

PARLER

À vos ordres !

Regardez les images et dites ce qui a été demandé.

> – *Douanes françaises. Bonjour.*
> *Ouvrez votre coffre, s'il vous plaît !*

a

b

c

d

Grammaire

l'impératif

Il permet de s'adresser à une personne qu'on tutoie (tu) ou vouvoie (vous), à plusieurs personnes (« vous » collectif), ou à un groupe de personnes dont on fait partie (nous).
pars ! partez ! partons !

Verbes en er et quelques verbes en ir

mange ! mangeons ! mangez !

Attention à l'écrit : pas de **s** final comme au présent avec « tu » : *tu manges → mange !*
Même règle orthographique pour les quelques verbes en « ir » qui se conjuguent sur le modèle des verbes en « er » (ouvrir, découvrir, offrir, souffrir, cueillir, accueillir, etc.) : *tu ouvres → ouvre !*

Autres verbes

aller : va, allons, allez (mais : « vas-y ! »)   **être** : sois, soyons, soyez   **avoir** : aie, ayons, ayez
Pour tous les autres verbes, on utilise à l'oral et à l'écrit la forme utilisée avec **tu**, **nous** ou **vous** :
tu dors → dors !   nous dormons → dormons !   vous dormez → dormez !
tu choisis → choisis !   nous choisissons → choisissons !   vous choisissez → choisissez !

COMPRENDRE  **LIRE**

Mais comment ça marche ?

Écoutez les dialogues et dites quel est celui qui correspond aux instructions données sur la carte.

— J'ai mis ma carte dans le téléphone et ça ne marche pas !
— Fais voir !

Grammaire

pronoms : construction directe (verbe + nom) et indirecte (verbe + à + nom)

Construction « directe », c'est-à-dire sans préposition :

– Tu *le* connais, **Jean Moreau** ?
– Tu *la* connais, **Sylvie Lemoine** ?
– Tu *les* connais, **Pierre et Nadia** ?

Et si le verbe commence par une voyelle :
– Tu *l'*aimes bien, **Pascal(e)** ?

Construction « indirecte » (avec la préposition à)
Vous devez utilisez **lui** ou **leur**.

– Je téléphone **à Jean Moreau**. → Je *lui* téléphone.
– Je téléphone **à Sylvie Lemoine**. → Je *lui* téléphone.
– Je téléphone **à Pierre et Nadia**. → Je *leur* téléphone.

Pas de différence si le verbe commence par une voyelle :
– Tu *lui* apportes des fleurs ?

Quelques verbes courants qui se construisent avec à :

• Parler à : « *Je lui parle en anglais.* »
• Dire à : « *Qu'est-ce que tu lui dis ?* »
• Écrire à : « *Je lui écris souvent* »

• Demander à : « *Je lui demande son nom ?* »
• Donner à : « *Je lui donne ton adresse ?* »
• Répondre à : « *Je vais lui répondre.* »

Exercice : construction des verbes

Écoutez et classez les verbes selon leur construction (verbe + nom / verbe + à + nom).

🖵	verbe + nom	verbe + à + nom
1		
2		
3		
4		
5		
6		
7		
8		
9		
10		
11		
12		

Phonétique : demande ou reproche ?

Écoutez les phrases suivantes et dites s'il s'agit d'une demande ou d'un reproche.

🖵	demande	reproche
1		
2		
3		
4		
5		
6		
7		
8		
9		
10		

C'est interdit !

Écoutez les enregistrements et dites à quel panneau ou consigne ils correspondent.

— *Je voudrais photocopier ce livre en 3 exemplaires !*
— *C'est sympa pour les auteurs !*

a

b

CHANTIER
Port du casque obligatoire

c

COMPOSITION :
ACÉTYLSALICYLATE DE DL LYSINE . . . . . 1800 mg
(Quantité correspondante en acide acétylsalicylique 1000 mg)
Excipient q.s.p. un sachet.

Ce médicament contient de l'aspirine.
Il est indiqué dans les maladies avec douleur et / ou fièvre
telles que maux de tête, états grippaux, douleurs dentaires,
courbatures et dans les affections rhumatismales chez
l'adulte et l'enfant à partir de 12 ans.

Lire attentivement la notice avant toute utilisation.
Médicament autorisé n° 318 981.9

d

Attachez votre ceinture

e

Ce film est interdit aux enfants de moins de 12 ans. Certaines scènes peuvent choquer.

f

DOUBLURE\LINING
100% ACETATE
ACETATE/ACETATO

NETTOYAGE A SEC
SEULEMENT
DRY CLEAN ONLY
LIMPIEZA EN SECO

HH7102/15 UNI

g

---

formuler une interdiction

À l'oral et à l'écrit : impératif négatif

Ne + impératif + pas
– *Ne touche pas ça !*
– *Ne bougez pas !*
– *Ne restons pas là !*

C'est / il est interdit de + infinitif
– *C'est interdit de faire du bruit après 22 h.*
– *Il est interdit de fumer.*

À l'écrit : infinitif négatif

Ne pas + infinitif
– *Ne pas déranger.*
– *Ne pas laver en machine.*
– *Ne pas laisser à la portée des enfants.*

Interdiction de / défense de + infinitif
– *Interdiction de fumer*
– *Défense d'entrer*

Autres expressions : *Baignade interdite, stationnement interdit, accès interdit au public.*

Exercice : pronoms compléments

Complétez en utilisant le / la / les **ou** lui / leur.

1. Irène Cortès ? Oui, je .... connais bien.

2. Je .... ai parlé ce matin. Il est très bien, ce garçon.

3. Vous ne connaissez pas les Dupont du Bujadier ? Je vais vous .... présenter. Je .... ai invités à déjeuner.

4. Tu téléphones à Maurice ? Est-ce que tu peux .... demander l'adresse de Jean-Louis ?

5. Je n'arrive pas à joindre Pierre et Martine. Je .... ai téléphoné plusieurs fois, je .... ai envoyé un fax, je ...... ai écrit un mél. Je .... ai appelés sur leur portable ! Pas de réponse !

6. Dites-leur d'attendre. Je .... recevrai dans un quart d'heure.

7. Qu'est-ce qu'elle fait ? Je .... attends depuis une heure !

8. Claudine ? Non, je ne .... ai pas vue.

9. Ils .... ont offert des fleurs et elle ne .... a pas remerciés.

10. Tu vas chez ta sœur ? Embrasse- .... de ma part !

Quel désordre !

Lisez le texte « C'est interdit ? », regardez les images et dites quelles règles ne sont pas respectées.

C'EST INTERDIT ?

Règles sociales

Comme toute société, la société française a ses règles, ses interdits, ses lois ou règlements. Au hasard d'une promenade dans une ville française, vous rencontrerez panneaux, affiches et textes qui vous rappellent ce que vous devez faire ou ne pas faire.

L'automobiliste

Beaucoup de panneaux sont destinés aux automobilistes : stationnement interdit, sens obligatoire ou interdit, vitesse limitée à 50 km/heure dans les villes, à 90 sur les routes, à 130 sur les autoroutes, port de la ceinture obligatoire.

Le citoyen

Le Français, piéton ou automobiliste est aussi un citoyen et certaines inscriptions lui rappellent qu'il doit respecter son environnement : « Pelouse interdite », « Utilisez les corbeilles mises à votre disposition ». De grands containers, des poubelles spéciales sont visibles dans certaines villes (recyclage du verre, du papier, du plastique). Des emplacements ou des équipements (toilettes, voies d'accès) sont réservés aux handicapés. Dans un autobus, dans le métro, on laisse sa place aux personnes âgées et aux femmes enceintes.

Les enfants

En France, on devient majeur à 18 ans et certains lieux sont interdits aux enfants mineurs non accompagnés d'adultes : cafés, ascenseurs, salles de jeux vidéo. Certains films sont interdits aux moins de 16 ans, ou de 12 ans.

Communication

Comme dans les avions, les téléphones mobiles sont interdits dans les hôpitaux et on incite, de plus en plus, les Français à éteindre leur téléphone mobile dans les lieux publics (salles de spectacle, restaurants).

Langage

Les campagnes publicitaires (contre l'alcool au volant, pour le port de la ceinture de sécurité, etc.) ont créé des formules qui sont passées dans le langage courant :
« La vue, c'est la vie » (automobile) ;
« Un verre, ça va, deux verres, bonjour les dégâts ! » (alcool) ;
« Un petit clic vaut mieux qu'un grand choc » (ceinture de sécurité).
Et beaucoup de bâtiments publics (mairies, écoles) rappellent aux citoyens la devise de la république : Liberté, Égalité, Fraternité.

 **COMPRENDRE**   **LIRE**   **PARLER**

L'entretien d'embauche

**Écoutez la conversation et dites quelles erreurs ont été commises
(en vous servant du document suivant).**

- Surveillez votre langage.
- Ayez confiance.
- Évitez les phrases compliquées.
- Évitez « ouais », « heu », « hein », « ben ».
- Évitez les expressions familières : dites voiture
  ou véhicule et non pas « bagnole ».
- Ne parlez pas trop vite, soyez clair.
- Observez les règles de politesse vis-à-vis de votre
  interlocuteur.
- Valorisez votre expérience, exprimez votre
  motivation pour le travail proposé.
- N'interrompez pas votre interlocuteur lorsqu'il
  vous parle.
- Ne soyez pas agressif.
- Soyez vêtu correctement (cravate pour les hommes,
  tailleur pour les dames). Passez chez le coiffeur.

L'impératif

être

sois sage !
soyons à l'heure !
soyez bref !

avoir

aie confiance !
ayons du courage !
n'ayez pas peur !

verbes pronominaux

Présent

je me dépêche
tu te dépêches
il/elle se dépêche
nous nous dépêchons
vous vous dépêchez
ils se dépêchent

Impératif

dépêche-toi !
dépêchons-nous !
dépêchez-vous !

Exercice : verbes pronominaux à l'impératif

**Écoutez et choisissez la formulation
à l'impératif qui correspond
à chaque enregistrement.**

Couche-toi !
Levez-vous !
Assieds-toi !
Dépêche-toi !
Arrêtez-vous ici !
Réveille-toi !
Approchez-vous !
Déshabillez-vous !
Taisez-vous !
Lave-toi les mains !

Exercice : pronoms compléments

Reformulez les phrases en utilisant l'impératif.

1. Tu peux m'appeler quand tu veux !
2. Vous pouvez me montrer ça ?
3. Tu peux me passer le sel ?
4. Vous pouvez m'aider ?
5. Vous me déposerez devant la gare !
6. Tu ne m'embrasses pas ?
7. Tu m'écriras ?
8. Vous pouvez m'expliquer votre problème ?
9. Tu me donnes ton adresse ?
10. Tu me fais un petit bisou ?

 **COMPRENDRE**  **ÉCRIRE**

Fiche de renseignement

Écoutez et rédigez la fiche d'information évoquée dans le dialogue.

FICHE DE RENSEIGNEMENTS

Nom _ _ _ _ _ _ _ _ _ _ _ _

Prénom _ _ _ _ _ _ _ _ _ _
(en majuscules)

Modalités d'inscription, pièces à fournir :

– *Est-ce que vous pourriez faire une petite fiche pour expliquer aux candidats ce qu'ils doivent faire ?*
– *Oui, Monsieur. Qu'est-ce que je mets sur la fiche ?*

Grammaire

différentes combinaisons de pronoms : construction directe (verbe + nom) et indirecte (verbe + à + nom)

combinaison	construction directe (verbe + nom)	construction indirecte (verbe + à + nom)
je → je	Je *me* dépêche. (verbe pronominal)	Je *m'*offre des vacances.
je → tu	Je *te* connais.	Je *te* donne un conseil.
je → vous	Je *vous* appelle.	Je *vous* écris.
je → il / elle	Je *le* trouve sympa, je *la* revois demain.	Je *lui* dis ça.
je → ils / elles	Je *les* apprécie beaucoup.	Je *leur* téléphone tout de suite.
il → je	Il *me* cherche.	Il *me* propose du travail.
il → te	Il *te* connaît.	Il *t'*envoie ça par la poste.
il → il / elle	Il *le* rencontre ici, il *la* rencontre ici.	Il *lui* expliquera ça demain.
il → nous	Il *nous* regarde.	Il *nous* répondra très vite.
il → vous	Il *vous* contactera par téléphone.	Il *vous* dira ça lui-même.
il → ils / elles	Il *les* accompagne à Madrid.	Il *leur* réserve une chambre à l'hôtel.

Exercice : verbes à construction simple ou double

Identifiez le type de construction :
verbe + nom (modèle : connaître quelqu'un)
verbe + nom + à + nom (modèle : donner quelque chose à quelqu'un)

	verbe + nom	verbe + nom + à + nom
1. Elle lui a donné son adresse.		
2. Vous lui avez demandé son nom ?		
3. Je lui ai offert des fleurs.		
4. Je la trouve sympa.		
5. Je la connais à peine.		
6. Elle lui a envoyé une carte postale.		
7. Il l'a connue à Madrid.		
8. Je lui ai montré des photos.		
9. Elle lui a proposé un rendez-vous.		
10. Je lui ai présenté mes parents.		

N'oublie pas d'arroser les plantes !

Écoutez le dialogue en prenant des notes et rédigez
les instructions à l'aide de la grille qui suit.
Regardez l'image (le retour d'Alain dans son appartement)
et dites si Patrick a bien respecté les instructions.

– *Allô, Patrick, salut.*
– *Salut, Alain.*
– *Comme convenu, je te laisse
mon appartement à partir du 15.*
– *Merci, c'est sympa. Tu peux
m'expliquer…*
– *Oui, j'y ai pensé. Tu as un stylo ?*
– *C'est bon, vas-y !*

<u>En arrivant</u> :
clés
électricité
eau
frigo
machine à laver
<u>Ne pas oublier</u> :
plantes
courrier
<u>En partant</u> :
eau
électricité
clés

finir		**prendre**		**aller**		**faire**	
je	finirai	je	prendrai	j'	irai	je	ferai
tu	finiras	tu	prendras	tu	iras	tu	feras
il/elle	finira	il/elle	prendra	il/elle	ira	il/elle	fera
nous	finirons	nous	prendrons	nous	irons	nous	ferons
vous	finirez	vous	prendrez	vous	irez	vous	ferez
ils/elles	finiront	ils/elles	prendront	ils/elles	iront	ils/elles	feront

Grammaire

la formation du futur simple

Verbes en « ir »
finir → *je finirai, tu finiras*, etc.
partir → *je partirai, tu partiras*, etc.

**Verbes qui se terminent par « re », « dre »,
« vre », « ttre »**
dire → *je dirai, tu diras*, etc.
prendre → *je prendrai, tu prendras*, etc.
vivre → *je vivrai, tu vivras*, etc.
mettre → *je mettrai, tu mettras*, etc.

**Futur irrégulier pour une trentaine de verbes
dont les plus courants sont :**
venir → *je viendrai, tu viendras*, etc.
tenir → *je tiendrai, tu tiendras*, etc.
faire → *je ferai, tu feras*, etc.
aller → *j'irai, tu iras*, etc.
savoir → *je saurai, tu sauras*, etc.
voir → *je verrai, tu verras*, etc.
vouloir → *je voudrai, tu voudras*, etc.
pouvoir → *je pourrai, tu pourras*, etc.
apercevoir → *j'apercevrai, tu apercevras*, etc.

OBJECTIFS

Savoir-faire

- rapporter les paroles de quelqu'un
- transmettre un message écrit à l'oral
- prendre des notes
- quantifier
- raconter
- comparer pour argumenter

Grammaire

- le discours indirect
- comparatifs / superlatifs
- les pronoms compléments
- le futur

Lexique

- activités professionnelles

Écrit

- rédiger un message
- comprendre un texte publicitaire

Culture(s)

- rythmes de vie

🌀 **COMPRENDRE**

Mais qu'est-ce qu'ils disent ?

Écoutez les enregistrements 1-2-3-4 et mettez-les en relation avec les enregistrements 5-6-7-8.

1

– *Allô ? Monsieur Martin est là, il voudrait vous voir…*
– *Ah non, pas maintenant, je dois partir dans 5 minutes. Je dois aller chercher Gisèle à la gare. Proposez-lui un rendez-vous pour demain après-midi ou pour jeudi matin.*
– *Bien Monsieur.*

2

– *Allô ? Ah ! bonjour, Gisèle. Tu es où ?*
– *.......*
– *Bon, tu arrives à quelle heure ?*
– *.......*
– *D'accord, on ira te chercher. À tout à l'heure !*

3

– *Le TGV 6 229 à destination de Lyon Perrache, prévu à l'arrivée à 16 h 42, va entrer en gare avec 5 minutes de retard. Veuillez nous excuser pour ce léger retard.*

4

– *Allô ? C'est toi, Serge ?*
– *.......*
– *Attends-nous, on arrive !*

LIRE    **COMPRENDRE**   **PARLER**

Qu'est-ce qu'il dit ?

Écoutez, lisez les lettres correspondantes et formulez une réponse.

– *Tiens il y a une carte postale de Gaston !*
– *Qu'est-ce qu'il raconte ?*

La Redoute
Vente par correspondance

Le 03 04 2001

Monsieur,

Je vous informe que votre commande du 28 mars est arrivée et que vous pouvez la retirer au bureau de poste de la rue Proudhon à partir de ce jour.
Veuillez agréer, Monsieur, l'expression de mes salutations distinguées.

E. Lopez Responsable des ventes

– *Tu as commandé quelque chose à la Redoute ?*
– *Oui, qu'est-ce qu'ils disent ?*

– *Qu'est-ce que c'est ?*
– *Le Trésor public.*
– *Qu'est-ce qu'ils disent ?*

| 75 | 2865 73731 | 34 | 82 |

TRÉSOR PUBLIC références à rappeler dans toute correspondance   Avis de mise en recouvrement

SERVICE DES AMENDES ET CONTRAVENTIONS
Le Trésorier principal   le 4.03.2001

Madame,

Vous êtes priée de régler dans les plus brefs délais la somme de 113,42 EUROS correspondant à la contravention émise le 2/02/2001 pour stationnement interdit.
Vous pouvez régler cette somme :

Grammaire

discours direct / indirect

discours direct	discours indirect
– Je **dois** partir dans 5 minutes.	Il dit qu'il **doit** partir dans 5 minutes.
– J'**arriverai** à 17 h 42.	Il dit qu'il **arrivera** à 17 h 42.
– J'**ai raté** le train de 10 h.	Il dit qu'il **a raté** le train de 10 h.

On utilise « dire que » au présent pour rapporter une conversation qui a lieu ou qui vient d'avoir lieu, pour transmettre ce que contient une lettre qu'on est en train de lire ou qu'on vient de lire.
Autres formulations :
– *Qu'est-ce qu'il dit ?*   – *Qu'est-ce qu'elle dit ?*
– *Que tout va bien.*   – *Elle va bien.*

 COMPRENDRE   PARLER

Message transmis!

Écoutez les enregistrements 1-2-3-4. Trouvez comment la personne va transmettre chaque message puis comparez votre production avec les dialogues 5-6-7-8.

dire que, demander si, dire de, proposer de		
on affirme quelque chose	**on demande quelque chose**	**on donne un ordre, on formule une demande, une proposition, une suggestion**
direct — Je suis arrivé hier. — J'arrive tout de suite! — J'arriverai demain.	— Il a fini son travail? — Il a fait bon voyage? — Il pourra venir?	— Est-ce qu'il peut patienter 5 minutes? — Il doit prendre rendez-vous. — On pourrait déjeuner ensemble.
indirect Il **dit qu'**il est arrivé hier. Il **dit qu'**il arrive tout de suite. Il **dit qu'**il arrivera demain.	Il **demande si** tu as fini ton travail. Il **demande si** tu as fait bon voyage. Il **demande si** tu pourras venir.	Il vous **demande de** patienter 5 minutes. Il vous **demande de** prendre rendez-vous. Il vous **propose de** déjeuner avec lui.

 **COMPRENDRE**   **LIRE** **PARLER**

Le bon candidat

Écoutez les dialogues, consultez l'annonce de demande d'emploi et dites qui est le bon candidat.

> – *Vous avez quel âge ?*
> – *30 ans.*
> – *Votre niveau d'études ?*
> – *J'ai une licence en sciences économiques.*

**SOCIÉTÉ D'IMPORT-EXPORT
CHERCHE CADRE**

- 25-35 ans
- Bac + 3
- Excellente connaissance de l'anglais parlé et écrit
- Expérience professionnelle
- Bonne présentation
- Bonnes connaissances en informatique
- Disponibilité pour voyager à l'étranger

 **COMPRENDRE**  **ÉCRIRE**

Messages

Écoutez les conversations, prenez des notes et imaginez ce que va dire la secrétaire à Madame Petit.

Heure : **14 H 30**
Isabelle Lebreton a appelé ☒
.... est passé(e) ☐

Message :
Elle rappellera.

> – *Allô ! Je voudrais parler à Madame Petit, c'est de la part d'Isabelle Lebreton.*
> – *Elle n'est pas là pour l'instant. Elle revient en fin d'après-midi.*
> – *Ce n'est pas grave, je la rappellerai.*

> – *Bonjour, Julie. Ouf ! Quelle journée ! Il y a des messages pour moi ?*

Adjugé ! vendu !

Identifiez les objets mis en vente et dites à qui ils ont été vendus et à quel prix.

Exercice : les unités de quantification

Reformulez en utilisant l'unité de quantification qui convient.

1. Je voudrais 12 mètres de saucisson.
2. – Et pour vous Madame ?
   – 6 rondelles de jambon et un kilo de lait.
3. – Vous désirez Monsieur ?
   – 3 litres de tomates.
4. Je pourrais avoir une tranche de citron avec mon perrier ?
5. Donnez-moi un paquet de sardines, une boîte d'eau minérale et 3 tranches de pommes de terre !
6. Tu veux un ou deux paquets de sucre dans ton café ?

Exercice : quantifier

Écoutez et dites si l'information donnée est précise ou imprécise.

	précis	imprécis
1		
2		
3		
4		
5		
6		
7		
8		

Exercice : le futur

Dites si vous avez entendu le futur ou autre chose.

	futur	autre chose
1		
2		
3		
4		
5		
6		
7		
8		
9		
10		
11		
12		

 **COMPRENDRE** **PARLER**

Je crois bien que j'ai fait une « gaffe »

Écoutez l'enregistrement et dites s'il vous est déjà arrivé de commettre une des gaffes évoquées ou une gaffe particulière. Racontez.

Vous est-il déjà arrivé de dire :

« Tu n'aurais pas un peu grossi, toi ? » à une amie qui vient de suivre un régime draconien pendant quelques mois.

« Tu devrais changer de coiffure de temps en temps » à une amie qui sort de chez le coiffeur.

« Votre fille vous ressemble » à un homme qui vous répond : « Ce n'est pas ma fille, c'est ma femme. »

« Quel imbécile ! » à propos de quelqu'un et de vous apercevoir qu'il est juste derrière vous.

« Qu'est-ce qu'elle est mal habillée, la fille à la robe jaune » et qu'on vous réponde : « C'est ma femme. »

Exercice : pronoms compléments (verbes + à + nom)

Choisissez la formulation qui correspond à chaque phrase.

1. Tu peux téléphoner à tes parents ?
   - Téléphone-lui ! - Téléphone-leur !
   - Téléphone-nous !

2. Bon voyage ! N'oubliez pas de nous écrire !
   - Écrivez-nous ! - Écris-leur ! - Écris-nous !

3. Garçon ! L'addition s'il vous plaît !
   - Donne-moi l'addition !
   - Donne-lui l'addition !
   - Donnez-moi l'addition !

4. Je ne sais pas quoi offrir à mes parents pour leur anniversaire de mariage.
   - Offre-lui des fleurs.
   - Offre-leur des fleurs.
   - Offre-nous des fleurs.

5. Nicole ! Est-ce que vous pouvez montrer nos nouveaux modèles à Monsieur et Madame Delatour ?

   - Montre-lui nos nouveaux modèles.
   - Montrez-leur nos nouveaux modèles.
   - Montre-les.

6. Tu peux donner ça à Sylvie ?
   - Donne-leur ça ! - Donne-lui ça !
   - Donnez-leur ça !

7. Quand est-ce que tu vas nous présenter ton fiancé ?
   - Présentez-nous votre fiancé !
   - Présente-nous ton fiancé !
   - Présente-moi ton fiancé !

8. Ils veulent deux cafés.
   - Donnez-leur deux cafés !
   - Donnez-moi deux cafés !
   - Donnez-nous deux cafés !

 **COMPRENDRE** **LIRE**

Le mobile

Lisez les 2 publicités et identifiez les arguments utilisés par le vendeur.

– *Je voudrais acheter un téléphone portable.*
– *En ce moment, je conseille plutôt le réseau SFR, les tarifs sont très intéressants. Nous avons deux modèles à proposer : le portabilis et le cinetico.*

PORTABILIS BC 900
L'autonomie, où je veux, comme je veux !

Dimensions (mm) : 158x56x27
Poids : 259g
Batteries lithium
Autonomie : 200h en veille,
          5h en communication
Bi-bande
Fonctions :
- WAP
- Son digital
- Compatible service e-mail
- Fonction mains libres
- 35 sonneries différentes

CINETICO DR 1100
Un poids plume dans votre poche !

Dimensions (mm) : 80x42x22
Poids : 100g
Batteries lithium
Autonomie : 70h en veille,
          5h en communication
Fonctions :
- WAP
- Son digital
- Ecran large pour une meilleure lisibilité
- Agenda / calculatrice
- 19 sonneries différentes

---

comparer

plus... que, moins.... que, aussi... que

– *Le train, pour voyager en France, c'est souvent **plus** rapide **que** l'avion.*
– *En province, tout est **moins** cher **qu'**à Paris.*
– *C'est moins cher et c'est presque **aussi** rapide **que** l'avion.*

le... plus... (du, de la, des), le... moins... (du, de la, des)

– *C'est **la plus** grande ville **du** monde.*
– *C'est l'hôtel **le moins** cher **de la** ville.*

Attention :
avec *bon* :   – *C'est **meilleur qu'**à la cantine.*
         – *C'est **le meilleur** restaurant de Lyon.*
avec *bien* :   – *Il travaille **mieux qu'**avant.*
avec *mauvais* : – *Les résultats de janvier sont **pires que** ceux de décembre.*

Très souvent, on n'utilise que la première partie de la comparaison :
– *Ici, c'est **plus** tranquille.*
– *Aujourd'hui, il fait **moins** froid.*
– *Maintenant, je comprends **mieux**.*

 COMPRENDRE   PARLER    CONNAÎTRE

Une journée bien remplie

Comparez vos activités à celles des Français ainsi que le temps que vous y consacrez quotidiennement.

EMPLOI DU TEMPS

Sommeil et repas
En ajoutant les repas et la toilette au sommeil, c'est près de la moitié de la journée que les Français – qu'ils soient actifs ou inactifs, hommes ou femmes – consacrent à leurs besoins physiologiques. À noter que le temps de sommeil représente 7 h 30 en moyenne (contre 9 heures au début du siècle), soit 31 % du temps de vie. Nous consacrons 17 minutes au petit-déjeuner, 33 minutes au déjeuner et 38 minutes au dîner, soit un total de 1 h 30 pour nous restaurer.

Travail
Les adultes actifs, du lundi au vendredi, consacrent en moyenne à leur travail (y compris les trajets) 8 h 50 pour les hommes et 7 h 40 pour les femmes. Les indépendants travaillent plus longtemps que les salariés et les agriculteurs 2 heures de plus que les citadins.

Travail domestique
Si, comme on l'a vu, les femmes travaillent à l'extérieur 1 heure de moins que les hommes, elles consacrent plus de 4 h 30 aux tâches domestiques, contre 2 h 48 pour les hommes. Ces derniers se rattrapent un peu le week-end : ils accordent 4 h 25 aux travaux de la maison le samedi – y compris les courses, le jardinage et les soins aux enfants – et 3 h 35 le dimanche. Ce qui n'empêche pas les femmes d'en faire encore un peu plus avec 6 heures le samedi et 5 h 30 le dimanche. Les femmes au foyer consacrent, elles, 6 h 20 chaque jour de la semaine au travail domestique.

Temps passé dans une vie à :

- regarder l'heure : 3 jours
- se laver les mains : 26 jours
- monter les escaliers : 20 jours
- se raser 140 jours
- repasser : 720 jours
- s'habiller : 117 jours pour les hommes, 531 pour les femmes
- regarder la télévision : 5 ans et 303 jours
- manger : 6 ans
- marcher : 16 ans
- dormir : 31 % d'une vie

Espérance de vie pour les hommes : 74 ans
Espérance de vie pour les femmes : 82 ans

TÉLÉVISION

Audimat
La télévision est allumée 5 h 10 par jour et par foyer. Si les Français passent en moyenne 2 h 44 devant leur petit écran, les plus de 15 ans y consacrent 3 h 13, les inactifs 3 h 49, les femmes 23 minutes de plus que les hommes (6 minutes seulement pour les actives) et les enfants (11-14 ans), contrairement aux idées reçues, ne la regardent que 2 h 05.
Les champions de l'Audimat à travers le monde sont les États-Unis (3 h 59), la Turquie (3 h 36) et l'Italie (3 h 36). Les plus faibles consommateurs sont les pays scandinaves et les Pays-Bas (de 2 h 20 à 2 h 41).

Exercice : les comparatifs

❶ **Complétez les phrases en utilisant les fiches.**

Pierre : 48 ans, 1,92 m, maîtrise de lettres, marié, 5 enfants, 20 ans d'expérience dans son entreprise.

Alain : 40 ans, 1 m 78, baccalauréat, marié, 2 enfants, 5 ans d'expérience dans son entreprise.

- Pierre est .... âgé qu'Alain.
- Alain est .... grand que Pierre.
- Pierre a .... de diplômes .... Alain.
- Pierre a .... d'enfants .... Alain.
- Alain a .... d'expérience .... Pierre.

❷ **Maintenant essayez de produire un maximum de phrases en comparant les deux villes et en utilisant les mots entre parenthèses.**

Plisson-sur-Marne
45 000 habitants [peuplé(e)/grand(e)]
40 hectares d'espaces verts [vert(e)]
200 km de Paris [loin/éloigné(e)]
4 centres commerciaux [commerçant(e)]
10 cinémas, 3 théâtres [culturel(le)]

Cens-le-Moulin
50 000 habitants
10 hectares d'espaces verts
400 km de Paris
5 centres commerciaux
6 cinémas, 1 théâtre

OBJECTIFS

Savoir-faire

- proposer / accepter / refuser
- indiquer le déroulement d'un programme

Grammaire

- les marqueurs de chronologie
- si + imparfait

Lexique

- Expression de l'acceptation et du refus
- familles de mots

Phonétique

- l'enthousiasme et l'ironie

Écrit

- répondre à un test

Culture(s)

- us et coutumes

 **DÉCOUVRIR**

Records à battre !

Écoutez le dialogue puis regardez les extraits du *Guiness des records* et dites si les exploits envisagés ont déjà été réalisés.

Quelques records insolites

Tiramisu	Cuisine, 2,50 x 1,50 m, 100 kg	1998
Tiramisu	Cuisine, 98 kg	1995
Tire-bouchon	Géant, 1,30 m haut, 1,22 m large	1995
Tire-bouchon	Vitesse, ouverture de 8 bouteilles de vin en 1 min	1995
Tirelire	Géante, cochon en papier mâché, 5,37 m x 3,21 m x, 2,24 m	1999
Tirelire	Géante, 2,805 m x 3024 m x 5,05 m³	1996
Tomate	Lancer à 6,20 m	1993

Pizza	Cuisine, 11,16 m diamètre	1993
Pizza	Cuisine, 15 m diamètre, 2 tonnes	1993

Course garçons café	Distance, 150,752 km en 19 h 26 min	1989
Couscous	Cuisine Tozeur 4 578 kg	2000
Cousins	Quantité, 2 500 réunis sur 4 883 invités	1991
Couteau à fromage	Géant, 2,25 m de long	1998
Couteau à huîtres	Géant, 30 x l'original	1994
Couteau à pâtisserie	Géant, 3,57 m long 33 cm diamètre	1993

Records en patins à roulettes

Distance, 1 500 km en 13 jours par 29 jeunes France-Allemagne	1988
Distance, tour de France 15-06 au 23-08-85	1985
Distance, traversée du Canada	1995
Endurance, 24 h	1990
Endurance, 566 km en 24 h	1994
Hauteur, saut avec tremplin	1990
Vitesse, sur piste, 100 km en 3 h 44 min 48 s 74	1985

Le journal le plus petit. Le quotidien brésilien Vossa Senhoria, publié pour la 1ʳᵉ fois en 1935, mesure seulement 3,5 x 2,5 cm. Chaque édition compte 16 pages et contient des photos, des dessins et de l'espace publicitaire.

La moto la plus grande (2,30 m)

M. Mangetout

Michel Lotito (né le 15-06-50), de Grenoble, Isère, connu sous le nom de « M. Mangetout », avale du métal et du verre depuis 1959.

Il peut consommer 900 g de métal par jour. Depuis 1966, il a avalé 18 bicyclettes, 5 Caddies de supermarché, 7 télévisions, 6 chandeliers, 2 lits, une paire de skis, un ordinateur et un avion. Lorsqu'il mange un appareil, « M. Mangetout » prend la précaution de le découper au préalable.

⊚ **COMPRENDRE**

– Et si on changeait de voiture ?

Propositions en tous genres

**Écoutez et dites sur quoi porte chaque proposition.
Identifiez la formule utilisée.**

🔊	formule utilisée
	Avec l'impératif
	Avec « pouvoir » au conditionnel
	Avec « si » + imparfait
	Avec « vouloir » au présent
	Avec le présent
	Sans verbe

---

formuler une proposition

Avec l'impératif :
– *Venez* prendre un café !
Avec « pouvoir » au conditionnel :
– *On pourrait aller prendre un café.*
Avec « si » + imparfait :
– *Si on allait prendre un café ?*
Avec « vouloir » au présent :
– *Vous voulez prendre un café ?*
Avec le présent :
– *On prend un café ?*
Sans verbe :
– *Un café ?*
Et même sans article :
– *Café ?*

Autres formulations :
Ça te (vous) dirait de… + infinitif
– *Ça te dirait… un week-end
  à la campagne ?*
– *Ça vous dirait de visiter la région ?*
Avoir envie de + infinitif
– *Tu n'aurais pas envie de voir
  un bon film ?*
Plaire au conditionnel
– *Ça vous plairait de faire un peu
  de bateau ?*
Et bien entendu le verbe proposer :
– *Je vous propose de faire
  une petite pause.*

⊚ **COMPRENDRE**

– On va se baigner ?
– Tu es fou ! L'eau est glaciale !

Alors, c'est oui ou c'est non ?

Dites si la personne accepte ou refuse :

🔊	accepte	refuse
1		
2		
3		
4		
5		
6		
7		

PARLER

Proposer / accepter / refuser

En vous servant de la fiche « accepter / refuser », choisissez des réponses positives ou négatives pour chacune des propositions suivantes.

- Encore un peu de gâteau au chocolat ?
- Si on faisait un petit voyage en amoureux ?
- On pourrait faire une petite balade à vélo ?
- On pourrait déjeuner ensemble pour parler de notre projet…
- On va manger un hamburger ?
- On regarde la télé ?

accepter / refuser		
Type de réaction	**Acceptation**	**Refus**
simple	Oui, volontiers ! Avec plaisir ! Chouette ! Chic !	Non ! Non merci ! Désolé(e) ! Pas question !
avec ajout d'une appréciation personnelle ou d'une explication	Oui, c'est génial. C'est une bonne idée. Oui, j'adore ça. Oui, ça me fera du bien. D'accord. Tu sais bien que je ne peux rien te refuser !	Non, j'ai horreur de ça. Non, je trouve ça nul. Désolé(e), ça ne m'intéresse pas. Désolé(e), je suis très occupé(e) en ce moment.
avec ajout d'un argument	Oui, c'est excellent pour la santé. Oui, ça me fera faire un peu de sport.	Non, ça fait grossir. Désolé(e), mais je suis fatigué(e).
avec une restriction	D'accord, mais pas longtemps.	Non, sauf si ça te pose un problème.
ni oui, ni non	Bof… Je ne sais pas… Peut-être… Tu crois ?	
acceptation ou refus reportés à plus tard	Pourquoi pas ? On en reparle lundi. C'est une bonne idée. On verra ça la semaine prochaine !	Cette semaine, je ne peux pas. On en reparle la semaine prochaine. Pas ce soir. On se téléphone ?

Phonétique : enthousiasme, ironie

Écoutez et dites si l'intonation indique l'enthousiasme ou l'ironie.
Exemple :
Il est super, ton copain !
(enthousiasme)
Il est super, ton copain !
(ironie)

	enthousiasme	ironie
1. Ah ! Julie, elle est intelligente !		
2. Ah oui, c'est malin !		
3. C'est très drôle !		
4. Eh bien, bravo !		
5. Géniale, ta copine…		
6. Intelligent, ce garçon.		
7. Il est vraiment intelligent !		
8. C'est vraiment extra !		
9. C'est super !		
10. Bravo ! C'est du beau travail !		

 COMPRENDRE   PARLER

Attitudes

Écoutez et dites pour chaque dialogue si la demande a abouti ou non. Précisez de quelle façon cette demande a été acceptée ou refusée (avec gentillesse, sévérité, poliment, aimablement, etc.).

📼	acceptation	refus
dial. témoin		avec *sévérité*
1		
2		
3		
4		
5		
6		
7		

– Maman, je peux regarder la télé ?
– Non, pas question ! Il y a école demain. Tu vas au lit ! Il est 8 heures et demie.

les familles de mots

En français, de nombreux mots font partie d'une famille de mots. Ainsi, la plupart des mots qui permettent de caractériser ou de juger une attitude constituent une « famille ».
Exemple :
– *Elle m'a parlé avec beaucoup de gentillesse.*
– *Elle est très gentille.*
– *Elle m'a répondu gentiment.*

noms	adjectifs	adverbes
la fermeté	ferme	fermement
l'autorité	autoritaire	autoritairement
la sévérité	sévère	sévèrement
la politesse	poli(e)	poliment
l'impolitesse	impoli(e)	impoliment
la courtoisie	courtois(e)	courtoisement
la gentillesse	gentil, gentille	gentiment
l'amabilité	aimable	aimablement
la méchanceté	méchant(e)	méchamment
la grossièreté	grossier(ière)	grossièrement
l'hypocrisie	hypocrite	hypocritement
la franchise	franc, franche	franchement

Exercice : demande / proposition

Dites s'il s'agit d'une simple demande ou d'une proposition.

📼	demande	proposition
1		
2		
3		
4		
5		
6		
7		
8		
9		
10		

Exercice : les familles de mots

Complétez en choisissant.

1. Pierre Durant peut diriger ce service de 20 personnes. Il a beaucoup d'....... .
   - ◾ sévérité ◾ autorité ◾ amabilité

2. J'aime bien aller dans cette boulangerie, la vendeuse est très ....
   - ◾ hypocrite ◾ sévère ◾ gentille

3. C'est vrai ! Julie, elle dit ce qu'elle pense. Quelle .... !
   - ◾ franchise ◾ grossièreté ◾ méchanceté

4. Marc n'emploie que des gros mots, il est vraiment ....
   - ◾ courtois ◾ sévère ◾ grossier

COMPRENDRE

Demandez le programme !

Écoutez et remettez les séries d'images dans le bon ordre chronologique. Identifiez les expressions de temps utilisées.

1 2 3

1 2 3

1 2 3

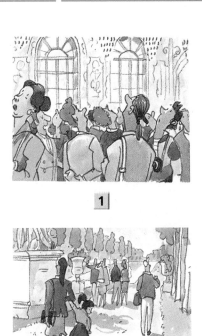

1

2

3

	début	milieu	fin
à la fin			
dans un premier temps			
par la suite			
après			
au début			
commencer			
continuer			
terminer			
d'abord			
enfin			
ensuite			

COMPRENDRE    PARLER

Test : savez-vous dire « non » ?

Répondez au questionnaire, puis consultez les résultats. Cela correspond-il à votre personnalité ?

1. On vous propose de faire un saut à l'élastique le week-end prochain. Cette idée vous terrifie :

a. – D'accord, mais je saute en dernier.
b. – Ça va pas, la tête ? Vous êtes complètement fous ! Ce sera sans moi !
c. – Je vous accompagne. Moi, je ferai les photos.
d. – Dimanche, c'est l'anniversaire de ma mère, je n'ai jamais manqué un seul de ses anniversaires. Ce n'est vraiment pas de chance !

2. On vous invite ce soir à un concert de musique classique. Vous, vous aimez plutôt la musique techno.

a. – C'est une plaisanterie ? Je vais m'endormir au bout de 5 minutes. Je vous préviens, je ronfle !
b. – D'accord, mais ensuite je vous emmène au Metallico, c'est la nouvelle boîte techno à la mode !
c. – Un petit peu de culture, pourquoi pas ?
d. – Je suis désolé, depuis ce matin, j'ai une migraine affreuse.

3. On vous propose de passer la soirée chez les Dupont, qui organisent une petite réception. Vous détestez les Dupont.

a. – Bon, d'accord, mais on ne reste pas longtemps.
b. – Il n'en est pas question, ils sont insupportables.
c. – Chez les Dupont ? Bof... Bon si tu insistes...
d. – Ce n'est vraiment pas de chance, mais je dois rester à la maison. J'attends un coup de fil très important !

4. On vous propose un week-end dans la nature : camping au pied d'une montagne, escalade de la montagne. Vous, votre rêve, c'était un week-end tranquille devant la télévision.

a. – Je me suis fait mal à un genou au tennis (la dernière fois que vous avez joué au tennis, c'était il y a 2 ans). Mon médecin me conseille le repos absolu.
b. – Je ne suis pas très sportif (sportive). Bon, d'accord ! Mais vous ne marcherez pas trop vite et quelqu'un pourra porter mon sac à dos ?
c. – Bon d'accord, mais il faudra quelqu'un pour garder la tente et les voitures. Si vous voulez, je ferai la cuisine.
d. – Désolé, mais marcher des heures sous le soleil, avec un sac à dos de 30 kg, ce n'est pas mon truc. Je penserai bien à vous tranquillement installé(e) dans mon fauteuil !

5. On vous demande, à l'occasion d'une fête (où il y aura environ 50 personnes) de vous occuper du repas. Vous détestez faire la cuisine.

a. – D'accord, mais je vais demander à ma mère de m'aider.
b. – C'est à moi que vous demandez de faire la cuisine ? Je ne sais même pas cuire un œuf à la coque !
c. – Je ne sais pas, je ne suis pas très doué(e) pour la cuisine. Bon, je vais essayer. On ne pourrait pas commander des pizzas ? Non ? Bon...
d. – C'est dommage, mais je ne serai pas là. Je ne vous l'ai pas dit, mais je pars quelques jours en voyage.

Vous avez choisi 1a, 2c, 3c, 4b, 5c : Vous ne savez pas refuser. C'est gentil pour vos amis, mais cela vous amène à supporter des situations peu agréables. Soyez un peu plus ferme.

Vous avez choisi 1b, 2a, 3b, 4d, 5b : Quelle franchise ! Attention ! Vous pouvez passer pour un individu totalement négatif !

Vous avez choisi 1c, 2b, 3a, 4c, 5a : Vous savez toujours vous sortir de situations délicates. Vous proposez toujours une solution qui convient à tout le monde.

Vous avez choisi 1d, 2d, 3d, 4a, 5d : Votre volonté de diplomatie et votre désir de n'offenser personne vous amènent quelquefois à ne pas dire la vérité, mais c'est pour la bonne cause !

Culture(s)

« Je ne suis pas superstitieux : ça porte malheur ! »

On dit des Français qu'ils sont « cartésiens ». Cette qualification vient du nom du philosophe René Descartes (1596-1650) qui a fondé sa philosophie sur la raison. Cela veut dire que les Français sont des gens logiques, qui ne croient pas beaucoup aux choses surnaturelles. Et pourtant…

Lisez les textes.
❶ Quelles superstitions des Français existent aussi dans votre pays ?
❷ Y a-t-il d'autres superstitions dans votre culture ?

Gestes et mots de la chance :

On croise les doigts des mains (l'index et le majeur) lorsqu'on veut porter chance à quelqu'un qui va vivre un moment difficile : examen, opération chirurgicale, rencontre importante, etc. On croise aussi les doigts quand on formule un vœu pour soi-même ou pour quelqu'un d'autre. On peut faire ce geste pour attirer la chance quand on joue au loto, par exemple. Les connaisseurs disent que croiser les doigts d'une seule main ne sert à rien : il est indispensable de croiser les doigts des deux mains pour que ça marche…

Pour favoriser le succès de quelqu'un que l'on connaît très bien, il ne faut pas lui dire « bonne chance » mais prononcer un certain mot de cinq lettres qui est l'un des plus célèbres de la langue française.

Quand on voit, la nuit, une étoile filante, on doit faire un vœu : on peut être sûr qu'il sera réalisé. Si on est avec quelqu'un, on dit à la personne : « Vite ! Fais un vœu ! »

Quand on fait des crêpes, à la Chandeleur (en février), on dit qu'il faut avoir une pièce de monnaie ou un billet dans la main qui tient la poêle : on sera riche pendant un an. Quand on veut éviter un malheur que les paroles pourraient attirer, on touche de la main un objet en bois en disant : « Je touche du bois ! ». Par exemple, on dira : « Moi, je suis rarement malade. Je touche du bois ! » et on touche la table… en bois.

Il ne faut jamais être treize à table : invitez toujours un quatorzième convive, car quand il y a à manger pour treize, il y en a pour quatorze… Quant au vendredi 13, vous avez le choix : malheur si vous êtes pessimiste, bonheur si vous êtes optimiste. Ces jours-là, les Français (pourtant « cartésiens »…) jouent beaucoup aux jeux de hasard.

Culture(s)

Dictons et proverbes :

Quand on sert à boire à plusieurs personnes, on dit que celui qui finit la bouteille va se marier pendant l'année. La personne qui sert lui dit alors : « Marié(e) dans l'année ! ». À propos de mariage, on croit que le couple sera heureux si le mariage a lieu un jour de pluie ; d'où le dicton : « Mariage pluvieux, mariage heureux ».

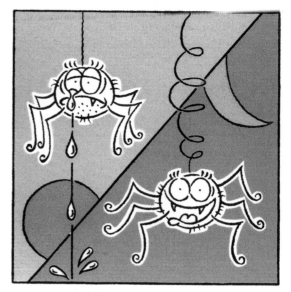

Animaux :

On dit que voir un chat noir porte malheur. Heureusement, les chats d'une autre couleur ne présentent aucun danger… L'araignée peut apporter bonheur ou malheur : cela dépend du moment où on la voit. D'où le proverbe :
« Araignée du matin, chagrin. Araignée du soir, espoir. »

Objets :

Ne passez pas sous une échelle : cela porte malheur. De même, casser un miroir vous garantit sept années de malheur. Mais casser du verre blanc (verre à boire, bouteille, etc.) porte bonheur. Autres porte-bonheur : la patte de lapin garantit la chance aux joueurs. Un fer à cheval au-dessus de la porte de la maison protège toute la famille contre le malheur. Vous avez trouvé – chose rare – un trèfle à quatre feuilles ? Vous pouvez espérer beaucoup de chance…

Culture(s)

Proverbes et dictons : quand les poules auront des dents...

Regardez les images et si votre langue n'est pas représentée, dites quel est l'équivalent pour vous de ce dicton qui signifie qu'une chose ne se produira jamais :

– *Tu crois qu'on va avoir une augmentation de salaire ?*
Quand les poules auront des dents !

Quand les poules auront des dents

When hens have teeth

Cuando las ranas críen pelos

Quand les grenouilles auront des poils

Pigs might fly

Les cochons pourraient voler

Quando gli asini voleranno

Quand les ânes voleront

Wanneer de kalveren op het ijs dansen

Quand les veaux danseront sur la glace

Trouvez l'équivalent dans votre langue des dictons suivants :

■ *Passer du coq à l'âne :* passer brusquement d'un sujet de conversation à un autre sujet totalement différent.

■ *Être au bout du tunnel (voir le bout du tunnel) :* arriver à la fin d'un travail difficile, d'ennuis, de problèmes.

■ *Il ne faut pas vendre la peau de l'ours avant de l'avoir tué :* il ne faut pas crier victoire trop tôt.

ÉVALUATION

1. Compréhension orale

Écoutez les enregistrements et dites ce qui est demandé puis si la demande est formelle, normale ou familière.

	ce qui est demandé	demande formelle	demande normale	demande familière
1				
2				
3				
4				
5				
6				
7				
8				
9				
10				

2. Expression orale

Vous travaillez dans une agence de voyages ; vous expliquez à un client le programme d'une croisière en Méditerranée.
ou
Vous expliquez à un camarade le programme d'un voyage scolaire à Paris.

3. Compréhension écrite

Rétablissez l'ordre des éléments de cette réclamation.

a) En résumé, notre voyage ne s'est pas du tout passé comme le programme l'indiquait, aucune explication n'a été donnée aux passagers.

b) Je souhaiterais savoir si vous avez l'intention de faire quelque chose pour régler les problèmes que nous avons eus, votre agence pourrait proposer un voyage gratuit à tous les passagers qui ont vécu ces désagréments.

c) Nous avons fait une croisière de 10 jours en Méditerranée du 15 au 25 juin.

d) Nous ne sommes pas partis le lendemain matin comme le programme l'indiquait, mais en fin d'après-midi, aucune information ne nous a été donnée et aucune activité proposée pendant la journée.

e) M. et Mme Martinet
   20, rue des roses
   83 000 Toulon

f) Après Athènes, nous sommes arrivés au Caire et nous n'avons eu qu'une heure pour visiter la ville, la visite des Pyramides a été annulée sans explication.

g) Monsieur,

h) Nous sommes rentrés à Toulon le 24 au lieu du 25, on nous a dit que c'était pour des raisons techniques.

i) Nous avons quitté Toulon le 15 comme prévu pour aller à Naples, puis après une escale en Sicile, nous sommes arrivés à Corfou le 17.

j) Je vous prie d'agréer, Monsieur, l'expression de mes salutations distinguées.

k) Gilles Martinet

4. Expression écrite

Choisissez un thème et rédigez une lettre à un(e) ami(e) pour lui donner des conseils.

1. On propose à votre ami de changer de ville pour un travail plus intéressant, il hésite car on lui demande d'aller dans une ville qu'il ne connaît pas.

2. Votre ami a deux mois de vacances, il veut faire un grand voyage.

3. Votre ami a des difficultés avec sa fille qui a 16 ans.

4. Votre ami va commencer des études supérieures, il hésite entre le droit et la médecine.

1. Écrit

Vous écrivez à votre ami Paul. Vous avez rencontré Christine la semaine dernière,
vous étiez tous les trois dans la même classe au collège et très amis.
Vous proposez à Paul de passer une soirée ensemble.
Votre lettre devra comporter environ 100 mots.

2. Compréhension orale

❶ Vous écoutez une fois l'enregistrement.
❷ Vous lisez les questions.
❸ Vous écoutez à nouveau l'enregistrement (2 fois) et vous remplissez le questionnaire.
Vous aurez une minute après chaque extrait pour répondre aux questions.

1. Le train Paris / Bordeaux part :
   ❏ du quai 7
   ❏ du quai 17
   ❏ du quai 5
   Le train est :
   ❏ à l'heure
   ❏ en retard de 25 minutes
   ❏ en retard de 15 minutes

2. C'est le répondeur :
   ❏ d'un médecin
   ❏ d'un dentiste
   ❏ d'un magasin
   On peut prendre rendez-vous :
   ❏ tous les jours
   ❏ du lundi au samedi
   ❏ du lundi au vendredi
   On peut appeler entre :
   ❏ 10 h et 12 h
   ❏ 10 h et 12 h 30
   ❏ 10 h 30 et 12 h
   Il y a un autre numéro pour les urgences :
   ❏ oui
   ❏ non

3. On attend M. Smith et M. Norton :
   ❏ à la porte 8
   ❏ à la porte 18
   Ils sont en retard :
   ❏ oui
   ❏ non
   ❏ Ils prennent le vol AF 228 pour Sydney
   ❏ Ils prennent le vol AF 128 pour Sydney
   ❏ Ils sont à Sydney

4. C'est une annonce pour informer les
   personnes de la fermeture d'un magasin :
   ❏ oui
   ❏ non
   La fermeture aura lieu :
   ❏ dans 20 minutes
   ❏ dans 5 minutes
   ❏ dans 15 minutes

5. Qu'est ce qu'il faut faire :
   – pour avoir les horaires :
   ❏ raccrocher
   ❏ appuyer sur la touche *
   ❏ appuyer sur 1
   – pour réserver une place :
   ❏ appuyer sur 2
   ❏ appuyer sur 3

3. Expression orale : jeux de rôles

1. Vous venez d'acheter un billet pour une
   croisière, vous expliquez à votre ami(e),
   mari(femme) le programme de ce voyage.

2. Vous venez d'avoir votre examen de fin
   d'études secondaires, vous expliquez à vos
   parents vos projets d'études.

3. Vous appelez une amie pour lui dire que
   vous ne pourrez pas dîner avec elle ce soir,
   vous lui expliquez que vous avez eu une
   journée très fatigante et très pénible.

4. Vous voulez acheter une maison. Vous
   discutez avec une personne de l'agence
   immobilière les trois propositions qui vous
   sont faites.

5. Au travail, le responsable de votre service
   vous explique qu'il serait nécessaire que
   vous travailliez le samedi, vous lui
   expliquez que cela est impossible.

Page 12
En classe de français
– Je ne comprends pas.
– Vous comprenez ?
– Vous pouvez répéter ?
– C'est facile.
– C'est difficile.
– C'est bien.
– Bravo !
– Écoutez !

Page 13
Une journée en France
Dialogue témoin :
Vol AF 648 en direction de Sydney, embarquement immédiat porte 3 !
Votre passeport s'il vous plaît !
1. – Hep taxi !
   – Vous êtes français ?
   – Non, australien.
   – Je vous dois combien ?
   – 30 euros.
2. Voilà votre clé. Chambre 5.
3. *Le Monde* s'il vous plaît !
4. Un café s'il vous plaît et 2 croissants.
5. Un ticket de métro, s'il vous plaît.
6. Et une napolitaine pour le 6 !
7. – …
8. – Charles ! Quelle surprise !
   – Bonjour Marie !

Page 14
Ça se passe quand ?
Dialogue témoin :
Il fait beau ce matin !
1. Bonne nuit les enfants !
2. Allô ! C'est Gérard ! Je suis à Tokyo ! Je te réveille ?
3. Bon appétit !
4. Debout ! Il est 7 heures !
5. Bonne année !
6. 5 heures, c'est l'heure du thé.

Page 14
Phonétique 1 : questions / affirmations
1. C'est qui ?
2. C'est moi.
3. Allô ? C'est Pierre ?
4. Allô ! C'est Pierre.
5. Bonjour !
6. Au revoir ! A demain !
7. Il est midi ?
8. C'est où ?
9. C'est beau.
10. C'est bon ?

Page 14
Phonétique 2 : les sons du français
1. Il sait tout. / Il s'est tu.
2. Il est fou. / Il est fou.
3. Tout va bien ? / Tu vas bien ?
4. Elle est russe. / Elle est rousse.
5. C'est fou. / C'est vous.

6. Je vais bien. / Je vais bien.
7. C'est à Pierre. / C'est à Pierre.
8. Il habite à Bari. / Il habite à Paris.
9. Il est dans le Var. / Il est dans le bar.
10. C'est pire. / C'est pur.
11. Tu as tes papiers ? / Tu as des papiers ?
12. J'attends Adam. / J'attends Adam.

Page 15
Qui est-ce ?
Dialogue témoin :
– *Allô ? Je voudrais parler au directeur commercial.*
– *C'est moi, Isabelle Lechef, je vous écoute….*
1. Ici, la boucherie Lebœuf, je vous écoute.
2. – Allô ? Est-ce que je peux parler au Docteur Morin ?
   – C'est moi.
3. – Allô ? Le garage Petitjean ?
   – Non, ici, c'est la pharmacie Lerouge.
4. – Allô ? Le garage Petitjean ?
   – Oui, bonjour…
5. – Allô ? Monsieur Simon ?
   – Non, c'est Mademoiselle Leroux. Je suis la secrétaire de Monsieur Simon.
6. Bonjour, le commandant Claude Legrand et tout son équipage vous souhaitent un agréable voyage…

Page 16
Qu'est-ce qu'ils font ?
Dialogue témoin :
Je peux vous poser quelques questions ? C'est pour le journal Le Monde.
1. Vous êtes priés d'attacher vos ceintures et de ne plus fumer.
2. Ouvrez votre livre à la page 40.
3. Voilà Monsieur, nous sommes rue de Paradis, cela fait 10 euros.
4. Un pain et deux croissants, cela fait 2 euros 25.
5. Les enfants ! Les enfants. Un peu de silence.
6. Votre passeport s'il vous plaît !

Page 16
Exercice : il est / elle est
1. Je te présente Pierre. Il est professeur.
2. Claude ? Elle est journaliste.
3. C'est André Laurent. Il est médecin.
4. Il est garagiste. Il habite à Rouen.
5. Elle est où, Sophie ?
6. Il est très sympathique, Joseph.
7. Maria, elle est espagnole ?
8. Claudine ? Elle est à Paris.
9. C'est Patrick Leroy, Il est architecte.
10. Il est là, Henri ?

Page 17
Où sont-ils ?
Dialogue témoin :
Allô Yacine ! C'est Claudine ! Claudine Morel ! Devine où je suis !
1. – Allô maman !
   – Joëlle ! Mais tu es où ?
   – À Campinas.
   – C'est où Campinas ?
   – Au Brésil.
   – Et qu'est-ce que tu fais à Campinas ?
   – Je travaille ! Je fais un reportage.

2. – Allô Joseph ! Alors c'est beau le Mexique ?
   – Oui, superbe.
   – Tu es à Mexico ?
   – Oui, mais demain, je vais à Guadalajara.
   – Pas GuadalaRaRA, Guadalajara !
   – …
3. – Allô Sylviane ? C'est Marie-Claude.
   – C'est quoi cette musique ?
   – De la musique grecque ! Je suis à Athènes !
   – Tu as de la chance ! Moi je suis à Paris dans les embouteillages.
4. – Allô. C'est Pierre ?
   – Oui.
   – C'est Jean.
   – Tu es où ?
   – À Bari.
   – À Paris ?
   – Non, à Bari, en Italie !

Page 19
On se tutoie ?
Dialogue témoin :
– *On se tutoie ?*
– *Si tu veux.*
1. – Tu t'appelles comment ?
   – Rémi Falami.
2. – Vous habitez où ?
   – 26 rue Perrier, à Bordeaux.
3. – Comment allez-vous ?
   – Très bien et vous ?
4. – Salut ! Tu vas bien ?
   – Oui, et toi ?
5. – Vous êtes japonaise ?
   – Non, chinoise.
6. – Qu'est-ce que tu lis ?
   – Robinson Crusoë.

Page 20
Point, virgule
1. Vous êtes étudiant ou étudiante ?
   Vous voulez perfectionner votre français ?
   Je suis professeur.
   Je donne des cours particuliers.
   Téléphonez-moi au 526 32 32, de 9 h à 12 h !
   J'organise aussi des séjours linguistiques en France.
   Ça vous intéresse ?
   Appelez-moi !
2. Bonjour ! Je m'appelle Clémentine.
   Je suis étudiante.
   Je parle anglais, espagnol et un petit peu portugais.
   J'habite à Rennes, en Bretagne.
   Je cherche un correspondant étranger.
   Vous voulez connaître ma région ?
   Alors, écrivez-moi !
   Je vous donne mon adresse :
   Clémentine Legoedic, 26 rue d'Armor, 35 000, Rennes.

Page 20
Phonétique 1 : [y] / [u]
1. Il est fou.
2. Tu es sûr ?
3. Oui, bien sûr.
4. J'ai des sous.
5. Tu as perdu !

6. Il est dans la rue.
7. Que fais-tu ?
8. Tu l'as lu ?
9. C'est tout !
10. C'est super !

Page 20
Phonétique 2 : le son [y]
1. Tu l'as su ?
2. Il s'est tu.
3. Il est têtu !
4. Je l'ai vu.
5. C'est dur !
6. Il est ému.
7. Il est mûr.
8. J'ai tout lu.
9. C'est le numéro deux.
10. Je vais à Mururoa.

Séquence 2 : informations

Page 21
Mais qu'est-ce qu'elle veut ?
Qu'est-ce qu'elle cherche ?
Dialogue témoin :
– *Je voudrais une grammaire.*
– *Je vous conseille la* Grammaire utile, *c'est très bien.*
1. – Hôtel du Nord, bonjour.
 – Je voudrais une chambre pour deux nuits.
2. – On va manger aux 4 saisons ?
 – Comme tu veux !
3. – Tu veux un café ou un thé ?
 – Un café.
4. – Un ticket de métro, s'il vous plaît !
 – Voilà Madame.
5. – C'est où la poste ?
 – C'est tout près d'ici.
6. – Est-ce que vous avez un plan de Paris ?
 – Oui, celui-là est très bien.

Page 22
Des questions ?
Dialogue témoin :
– *Il a 8 enfants.*
– *Combien ?*
– *Huit.*
1. – C'est qui, Marie ?
 – C'est la copine de Paul
2. – Il est quelle heure, s'il vous plaît ?
 – Midi vingt.
3. – Est-ce que vous avez votre passe-port ?
 – Oui, le voilà.
4. – C'est quand ton anniversaire ?
 – Le 21 mars.
5. – Qu'est-ce que tu fais ce week-end ?
 – Rien ! Je me repose.
6. – C'est où la réunion ?
 – En salle B 24.
7. – Combien ça fait ?
 – 24 euros.
8. – Fernand, qui est-ce ?
 – C'est un professeur de français.

Page 22
Phonétique : un / une
1. Julienne ? C'est une amie de Lionel.
2. Un café, s'il vous plaît !
3. C'est une Espagnole. Elle s'appelle Maria Luisa.
4. Pour moi, une pizza !
5. L'Excelsior ? C'est un hôtel.
6. C'est une jolie ville.
7. Un ami, c'est un ami.
8. Garçon ! Un chocolat !
9. C'est un acteur français.
10. Un, deux, trois ! Partez !

Page 24
Exercice : masculin / féminin
1. C'est un médecin britannique.
2. C'est une excellente traductrice.
3. Je te présente Dominique, un ami belge.
4. Ma secrétaire parle très bien anglais.
5. C'est une Espagnole.
6. Ma sœur travaille dans l'informatique.
7. Claude est secrétaire à l'ambassade de France.
8. André est musicien.
9. Elle parle bien français.
10. Tiens, voilà Claudine Lambert, mon professeur de français.

Page 25
Les nombres
Dialogue témoin :
– *Je peux payer par chèque ?*
– *Oui, bien sûr. Cela fait 99 euros 50.*
– *99 euros cinquante...*
1. – Je vous dois combien ?
 – 30 euros plus 3 euros pour les bagages, ça fait 33 euros.
2. – Tu les as payées combien tes chaussures ?
 – 25 euros.
 – 25 euros ? Ce n'est pas cher !
3. – Allô ? Je suis dans la rue, devant ton immeuble.
 – Oui, qu'est-ce qu'il y a ?
 – Je n'ai pas le code pour entrer.
 – Ah, c'est AB 48 59.
 – Merci.
4. – Votre date de naissance s'il vous plaît ?
 – Le 23 / 11 / 56.
5. Vous partez pour Porto à 9 h 55 par le vol Air France 1 336.
6. – Il me faut votre numéro de sécurité sociale...
 – 2 70 07 90 033 020 29

Page 26
C'est à vous, ça ?
Dialogue témoin :
– *Excusez-moi, Monsieur, mais c'est ma place. Je suis au 24 B.*
– *Excusez-moi, je me suis trompé.*
1. – Vos papiers, s'il vous plaît !
 – Voilà mon passeport.
2. – Douanes françaises ! Je peux voir votre montre ?
 – Ma montre ?
 – Oui, vous êtes sûre que c'est une vraie Cartier ?
3. – Tu vas où ?
 – À ma banque.
4. – Là c'est le salon et à côté, mon bureau.
 – Deux ordinateurs, un fax, un scan-ner. Tu es bien équipé !
5. – Ma ville natale ? C'est Saint-Étienne.
 – Moi, c'est Saint-Émilion.
6. – Votre nom ?
 – Georges François. Mon nom c'est François.
7. – Mes lunettes ! Où sont mes lunettes ?
 – Sur ton nez !
8. – Allô ? C'est pour un renseignement.
 – Attendez, je vous passe ma secrétaire.
9. – Il habite où Claude Legrand ?
 – Dans mon quartier.
10. – Qu'est-ce que tu as comme voiture ?
 – Ma voiture ? C'est une 405 Peugeot.

Page 26
Exercice : oral / écrit : le pluriel
1. Ils parlent français.
2. Elle va très bien.
3. Ils habitent à Montpellier.
4. Elles travaillent beaucoup.
5. Elles sont très sympathiques.
6. Ils sont malades.
7. Qu'est-ce qu'ils disent ?
8. Elle habite dans la banlieue parisienne.
9. Où est-ce qu'elles vont ?
10. Qu'est-ce qu'ils font ?

Page 27
du / de la / de l' / des
Dialogue témoin :
– *J'ai faim !*
– *Il y a du fromage dans le frigo.*
– *Je n'aime pas le fromage !*
– *Alors, il y a de la confiture.*
1. – Bon, je dois partir. Je te laisse tout seul pour le week-end. Dans le frigo, il y a tout ce qu'il faut : du poulet, du fromage, des yaourts.
 – Il y a du coca ?
 – Non, il n'y a pas de coca, mais il y a des jus de fruits.
2. – Qu'est-ce qu'il y a comme plat du jour ?
 – Il y a du poisson à la sauce proven-çale.
 – Et à la carte ?
 – Du poulet, sauce provençale. Et aussi du bœuf, sauce provençale. Et comme dessert, de la tarte aux pommes maison.
 – À la sauce provençale ?

Page 28
Garçon !
Dialogue témoin :
– *Garçon ! Deux petits crèmes et deux croissants !*
– *Non ! Pas de crème pour moi ! Un thé !*
1. – Qu'est-ce que vous avez comme jus de fruits ?
 – Du jus d'orange, d'abricot.
 – Alors un jus de pomme.
 – Nous n'avons pas de jus de pomme.
 – Alors un jus d'orange.
 – Et pour Madame ?
 – Un Perrier-citron !
2. – Voilà une bière, un sandwich jam-bon beurre, un chocolat chaud et un croque-monsieur !
3. – Qu'est-ce qu'on peut manger ?

– Nous avons des sandwichs, des hot-dogs, des omelettes et des salades.
– Alors une omelette et une salade !
– Et comme boisson ?
– Un demi !

Séquence 3 : reprise, anticipation

Page 29
Vous aimez ?
Dialogue témoin :
Quelle horreur, cette cravate jaune !
1. – C'est très bon ! Qu'est-ce que c'est ?
   – De la moussaka. C'est une spécialité grecque.
2. Il est superbe ce tableau !
3. Je ne supporte pas le bruit !
4. – Je vous invite au restaurant El Trio !
   – Avec plaisir ! J'adore la cuisine mexicaine !
5. – Il est bien ton hôtel ?
   – Non, c'est cher, les chambres sont minuscules et c'est à côté d'une discothèque. Je n'ai pas dormi de la nuit !
6. – Il est très joli cet ensemble marron !
   – Oui, et en plus, il n'est pas cher.

Page 30
Phonétique : appréciation positive et négative
1. Que c'est laid !
2. Quelle horreur !
3. Ma-gni-fique !
4. Excellent !
5. C'est splendide !
6. C'est pas possible !
7. Ça se mange ?
8. Gé-nial !
9. Bravo !
10. Félicitations !

Page 31
Histoire de famille
Dialogue témoin :
– Qu'est-ce que tu fais à Noël ?
– Je vais chez mes beaux-parents.
1. – Qu'est-ce qu'il fait ton oncle ?
   – Il est éditeur.
2. – C'est votre fils ?
   – Non, c'est mon frère.
3. – C'est qui sur la photo ?
   – Ma cousine Charlotte et son frère Maxime.
4. – Danièle ? C'est la sœur de ma mère.

Page 33
Présent / passé / futur
Groupe 1 :
1. – Quand est-ce que tu téléphones à Roger ?
   – Demain.
2. – Tu as téléphoné à Roger ?
   – Oui. Hier matin.
3. – Tu téléphones à qui ?
   – À Roger.
Groupe 2 :
1. – Qu'est-ce que tu fais en ce moment ?
   – Je travaille.
2. – Tu es libre demain ?
   – Non, je travaille.

3. – Tu as passé un bon week-end ?
   – Bof, j'ai travaillé. J'ai préparé mes cours.
Groupe 3 :
1. – Allô ! Tu es où ?
   – Au restaurant, je déjeune avec Nicole.
2. – Tiens, hier, j'ai déjeuné avec Nicole.
   – Elle a réussi son examen ?
   – Oui, sans problème.
3. – Allô ? C'est Joëlle.
   – Salut Joëlle.
   – Qu'est-ce que tu fais lundi à midi ? Je t'invite à déjeuner.
   – Lundi ? Ce n'est pas possible. Je déjeune avec Nicole.
   – Et lundi soir ?
   – Rien.
   – Eh bien, on dîne ensemble.
Groupe 4 :
1. – Bonjour !
   – Où est-ce que vous allez ?
   – Rue Champollion.
2. – Quand est-ce que tu vas à Paris ?
   – Demain matin.
3. – Qu'est-ce que tu as fait ce week-end ?
   – Je suis allé à Paris.

Page 34
Une année en France
Dialogue témoin :
– Bonne fête maman !

Séquence 4 : ici et là

Page 35
Demandes
Dialogue témoin :
– Excusez-moi Monsieur, est-ce que vous pourriez me dire où se trouve la rue de la Huchette ?
– C'est tout près d'ici. Suivez-moi. J'y vais.
1. – Mademoiselle Vannier, vous avez le numéro de téléphone de notre correspondant à Londres ?
   – Oui, c'est le 00 44 207 60 32 48 20.
   – Je vous remercie.
2. – Excusez-moi Madame, je cherche la rue du Temple…
   – C'est la première rue à gauche.
   – Merci beaucoup !
3. – Allô, c'est pour une réservation, je voudrais une chambre pour deux personnes, lundi et mardi prochains.
   – Désolé Monsieur, c'est complet.
   – Ah bon, au revoir Mademoiselle.
   – Au revoir Monsieur.
4. – Garçon ! Une bière, s'il vous plaît !
   – Désolé Monsieur, il est 1 heure. On ferme.
   – Alors l'addition !
5. – Allô ! Je voudrais réserver une table pour quatre personnes pour ce soir.
   – Désolé Monsieur, mais c'est fermé le lundi.
6. – Pardon Monsieur, vous avez l'heure ?
   – Il est midi.
   – Merci beaucoup !
   – À votre service !

Page 36
Voyage en France…
Dialogue témoin :
– Vivement les vacances !
– Tu vas où cette année ?
– Dans le Sud, à Sète, chez des amis.
– Je ne connais pas Sète.
– C'est une ville touristique. C'est très joli, il y a une grande plage.
– C'est grand ?
– Non, il y a 35000 habitants en hiver mais 10 fois plus en été.
1. – Vous habitez où ?
   – À Montauban.
   – C'est où Montauban ?
   – Dans le Sud-Ouest.
   – C'est grand ?
   – Non, il y a 53 000 habitants.
2. – Tu es étudiant où ?
   – À Lille.
   – C'est bien ?
   – Oui, c'est une grande ville. C'est la capitale du Nord.
   – Il y a combien d'habitants ?
   – A peu près 180 000.
3. – Qu'est-ce que tu fais mardi ?
   – Je vais à Rennes.
   – L'Ouest, c'est une région que je ne connais pas du tout.
   – C'est sympa Rennes, il y a une université.
   – C'est une grande ville ?
   – Il y a environ 200 000 habitants.
4. – Tu es d'où, toi ?
   – De Marseille.
   – Ah oui, on reconnaît ton accent. C'est grand Marseille ?
   – Ah oui, c'est la deuxième ville de France, 800 000 habitants, et on vit bien à Marseille. C'est le Sud.

Page 38
C'est où ?
Dialogue témoin :
– Tu es né où ?
– À Porto Vecchio.
– Au Portugal ?
– Non, en Corse. C'est au bord de la mer, dans le sud-est de la Corse.
1. – Tu vas où en vacances ?
   – Au Brésil.
2. – Tu as trouvé un appartement ?
   – Oui, au centre ville.
3. – Elle habite où Marie-Laure ?
   – En banlieue.
4. – Il va bien Antoine ?
   – Non, il est à l'hôpital.
5. – Rennes, c'est au bord de la mer ?
   – Non.
6. – Moi j'aime le calme. J'habite à la campagne.
7. – Rémi n'est plus à Paris. Il habite dans un petit village, dans les Cévennes.
8. – Claude habite dans quel quartier ?
   – À Saint-Germain Des Prés.
9. – Salut Françoise !
   – Salut ! Excuse-moi, je suis pressée, je vais à la poste.
10. – La semaine prochaine, je fais du ski.
    – Moi, je n'aime pas les vacances à la montagne.

Page 39

L'homme de ma vie
– Allô maman !
– Bonjour ma petite Laetitia…
– Maman, je suis amoureuse !
– Je le connais ?
– Oui.
– Attends, laisse-moi deviner… Est-ce qu'il est blond ?
– Non.
– Alors, ce n'est pas Gaston. Il est grand ?
– Non.
– Alors ce n'est pas Hubert… Il travaille ?
– Il ne travaille pas, il est étudiant.
– Alors ce n'est pas Claude.
– Je vais t'aider : il est brun, il a des lunettes, il est très sportif, il n'a pas de voiture mais il a une moto. Il ne boit pas, il ne fume pas.
– Ça y est, j'ai trouvé !

Page 39

Exercice : la négation
1. Je comprends pas !
2. J'aime pas le bruit !
3. Je n'ai pas faim !
4. C'est pas ça !
5. Ce n'est pas facile !
6. Il est pas là !
7. Tu ne manges pas ?
8. C'est pas difficile.
9. Il ne fait pas chaud !
10. C'est pas bon !

Page 39

Phonétique : [s] / [z]
Ils sont perdus !
Ils arrêtent bientôt ?
Ils s'aiment beaucoup…
C'est du poisson.
Vous avez quelque chose ?
Deux ans, c'est beaucoup !
Ils sont chauds.
C'est un très grand zoo.
C'est une Russe.
Elles sont douces.

Page 40

Documents
Dialogue témoin :
– *Allô, c'est pour une réservation pour un groupe de 30 personnes.*
– *Oui, je vous donne les horaires. C'est ouvert toute la journée de 10 à 18 heures.*
– *C'est possible pour demain ?*
– *Ah non, c'est fermé le mardi.*
1. Bonjour, je m'appelle Bruno Leroux, je représente la société Interpneu, à Clermont-Ferrand.
2. Ce mois-ci, Belles Frontières vous propose un aller-retour Paris-Miami à 298 euros, un week-end à Venise pour 112 euros et un circuit d'une semaine au Mexique pour 999 euros.
3. – Alors nous avons 2 salades, 2 plats du jour et 1 dessert.
   – Non, 2 desserts.
   – Ah oui, pardon.
4. – Tu vas au supermarché ?

– Oui, qu'est-ce que je prends ?
– Du café, des œufs, des spaghettis, de la sauce tomate.
– Et du pain ?
– Oui, et du jambon.
5. – Josette, tu peux me poster ça ? Le chèque pour le téléphone, une carte postale pour Max et une lettre pour ma mère.
   – OK, je vais tout de suite à la poste.
6. – Je vais passer le week-end à Malbuisson, à l'hôtel du Lac.
   – Ah oui, je connais, il est très bien, cet hôtel, c'est calme.
   – J'ai réservé une chambre. 40 euros la nuit en pension complète, c'est pas cher.
7. – Je voudrais un aller-retour pour Paris.
   – Quelle date ?
   – Après-demain, vers 14 heures.
   – Vous avez un train à 14 h 45. Arrivée 17 h 30.
   – D'accord, ça va.

Page 41

Ambiances
1. – Maman ! Maman !
   – Qu'est-ce qu'il y a ma chérie ?
   – Voilà papa !
   – Bonjour Charles.
   – Bonjour Marie.
   – Bonjour papa.
   – Bonjour Laura.
2. – Allô ? Bonjour Germaine. Simone ! C'est ta mère !
   – Allô maman ?
   – Paulo ! Tu t'occupes de Benjamin !
   – Oui…
   – Rex ! Tais-toi !
   – Rodolphe ! Moins fort la musique !

Page 41

Internet
Moi, je suis brésilienne, je m'appelle Flora Moreira, j'ai 26 ans. J'habite Rio de Janeiro. Je suis architecte. Je suis mariée et j'ai une petite fille de 3 ans, Anabella. J'aime les voyages. Je connais l'Argentine, les États-Unis, mais je ne suis jamais allée en France. J'ai étudié le français à l'Alliance française de São Paulo, car j'aime beaucoup cette langue. Vous pouvez me contacter sur Internet. Mon adresse e-mail, ou mél comme vous dites en France, flora.moreira@brasil-net.br. J'ai aussi une page personnelle : www.floramoreira.com.

Page 45

Dites-le avec les mains
– Tu es fou !
– C'est super !
– J'en ai ras-le-bol !
– Mon œil !
– Approche !
– 3 cafés !

PARCOURS 2 : GOÛTS, OPINION, ARGUMENTS

Séquence 5 : qualités

Page 47

Histoire d'un objet
1. – Je voudrais une robe.
   – Quel genre de robe ?
   – Une robe d'été.
2. – J'aime bien cette robe.
   – La robe bleue ?
   – Non la rouge.
   – Vous avez raison, c'est une jolie robe.
3. – Elle est très jolie cette fille.
   – Oui, c'est une bonne cliente.
4. – Bonjour mon chéri.
   – Qu'est-ce que c'est ?
   – J'ai acheté une robe.
5. – Tiens, Lucie, je te présente Véronique. C'est une amie.
   – Bonjour Véronique. Elle est jolie ta robe.
6. – C'est qui la fille à la robe rouge ?
   – C'est Véronique, la femme d'André.
7. – Je vous présente Véronique, ma femme.
   – Enchanté !
8. – Elle est jolie la robe de Véronique. Tu ne trouves pas ?
   – Si.

Page 48

La valise
– Je voudrais une valise…
– Quel type de valise ?
– Une valise en cuir. Vous pouvez me montrer cette valise ?
– Laquelle ?
– La valise bleue.

– C'est laquelle votre valise ?
– La bleue.

– Bonjour Mademoiselle. J'ai perdu ma valise.
– Elle est de quelle couleur, votre valise ?
– C'est une valise bleue, en cuir.

– Je crois que c'est ma valise.
– La bleue ?
– Oui, c'est celle-là.

Page 50

Cocktail
Dialogue témoin :
– *Elle est pas mal la petite blonde à lunettes ! Vous la connaissez ?*
– *Oui, très bien, c'est ma femme.*
1. – Viens, je voudrais te présenter quelqu'un…
   – Qui ?
   – Tu vois la fille en bleu ?
   – Oui.
   – C'est notre correspondante à Milan.
2. – Tu vois le grand blond à moustaches près du buffet ?
   – Oui.
   – Eh bien, c'est mon cousin. Il est journaliste au *Monde*.
   – Ah bon !

– Et la brune en vert ?

– Elle, elle est photographe à *Life*.

3. – Vous avez des enfants, je crois ?

– Oui, trois. Zoé, la petite fille brune avec des nattes, sur la balançoire, Kevin, le petit garçon en short qui fait du vélo et Sandra, qui a 16 ans. Elle parle avec le grand garçon brun.

– C'est Victor, mon fils.

4. – C'est qui la fille qui discute avec le patron ?

Laquelle ? La blonde en rouge ?

– Non, la grande brune en bleu.

– Elle ? Je ne sais pas. Je crois que c'est une copine de Paul Legrand.

– Paul Legrand ?

– C'est le grand blond qui parle avec le petit brun à moustaches.

Page 51
Tout est relatif
Dialogue témoin :

– *Elle est où ta voiture, Pierre ?*

– *C'est la Renault bleue.*

– *Laquelle ?*

– *Celle qui est garée en face du théâtre.*

1. – Elle est mignonne la fille qui sort de la banque !

– Oui, c'est ma fille.

– Oh pardon !

2. – Elle s'appelle comment la boulangère ?

– Laquelle ? La boulangerie qui est à côté de la poissonnerie ou celle qui est en face de la banque ?

– Celle qui est à côté de la poissonnerie Perrin.

– Ah ! C'est madame Dupin.

3. – Tiens, toi qui connais tout le monde, tu connais la fille qui est devant l'épicerie ?

– Laquelle ? Celle qui a un petit sac-à-dos ?

– Non. L'autre, celle qui achète des melons.

– Non.

– Moi non plus.

Page 52
Une phrase, ça suffit...
Dialogue témoin :

– *Mon mec à moi, il me parle d'aventures...*

– *Qu'est-ce que tu chantes ?*

– *Une chanson de Patricia Kaas.*

– *Patricia Kaas ?*

– *C'est une chanteuse française. Tu ne la connais pas ? Pourtant elle est très connue à l'étranger !*

1. – À demain Julien, on se retrouve au restaurant.

– J'ai aussi invité Pierre Leroy.

– C'est qui Pierre Leroy ?

– C'est un ami.

– Il travaille avec toi ?

– Non, il est informaticien. Il s'est marié avec Joëlle, la sœur de René.

2. – Je vous présente Rémi Leroux, un de mes collaborateurs.

– Enchanté. Alors vous travaillez avec Maurice ?

– Oui, je suis le directeur de la filiale

de Montréal.

– Vous êtes canadien ?

– Non, je suis français, mais je vis au Canada depuis 15 ans et je suis marié avec une Canadienne.

3. – Tu connais la littérature antillaise ?

– Non, pas trop.

– Tiens, lis ça. *Pays mêlé* de Maryse Condé. C'est très bien.

– Maryse Condé ?

– Elle est guadeloupéenne mais elle vit entre les États-Unis et la Guadeloupe.

4. – C'est quoi un « beur » ?

– C'est un immigré de la deuxième génération.

– Il n'est pas né en France ?

– Si, il est né en France. Ses parents sont d'origine maghrébine.

– Maghrébine ?

– Le Maghreb, c'est l'Afrique du Nord, l'Algérie, la Tunisie, le Maroc.

Page 52
Phonétique 1 : [p] / [b]
1. Il n'est pas beau Paul.
2. Il est très bien Bernard.
3. Il est bon ce bonbon.
4. Ton papa n'est pas là ?
5. Pierre, tu bois une bière ?
6. Je n'ai pas pu partir.
7. Des pommes, des poires et des scoubidous bidou ah...
8. J'habite à Bari.
9. C'est le verre de Pierre.
10. C'est où le bar du Port ?

Page 52
Phonétique 2 : [p] / [b]
1. Qu'est-ce que vous voulez comme boisson ?
2. Je prends du poids !
3. Il est midi pile !
4. J'aime bien les prunes.
5. Il est où, ton bonnet ?
6. Je n'ai plus de batterie.

Page 53
Cadeaux
Dialogue témoin :

– *Tu as une idée de cadeau pour Jacqueline ?*

– *Oui, un livre d'art, elle aime beaucoup la peinture.*

1. – Dis Monique, c'est bientôt l'anniversaire de ta mère. Tu as une idée de cadeau ?

– Je ne sais pas... Une boîte de chocolats peut-être.

– Non, elle fait un régime.

– Alors des boucles d'oreilles.

– Elle a déjà beaucoup de bijoux.

– Elle a déjà beaucoup de bijoux, alors, j'ai une idée !

2. – Tu as une idée pour le cadeau de mariage de ta sœur ?

– Une jolie montre-bracelet en or, elle est toujours en retard ! Ou alors des patins à roulettes, elle est toujours pressée !

– Tu es bête ! Bon, ils sont étudiants tous les deux, ils n'ont pas d'argent.

Ils ont trouvé un petit appartement, mais ils n'ont qu'une table et deux chaises.

– Bon alors il faut un cadeau utile !

3. – Tu sais qu'on va chez ton frère, samedi prochain.

– Oui, et alors ?

– Eh bien samedi prochain, c'est le 1er avril et c'est l'anniversaire des jumeaux.

– Tu as une idée pour le cadeau ?

– Je ne sais pas moi, une paire de jumelles. Non, je plaisante. Un jeu de société. Un jeu de scrabble par exemple.

– Bof. C'est des sportifs, pas des intellectuels. C'est le foot ou le tennis qui les intéresse.

– Ah ! Je crois que j'ai une idée !

Séquence 6 : opinions

Page 55
Mes goûts
Dialogue témoin :

– *Il fait chaud aujourd'hui.*

– *C'est bien. Moi j'adore le soleil.*

1. – Vous êtes hôtesse de l'air, c'est un métier difficile...

– Non, j'adore voyager.

2. – J'ai gagné un voyage en Islande.

– Tu as de la chance !

– Non, je déteste le froid.

3. – On va danser, ce soir ?

– Bof, je ne sais pas danser. Je préfère un bon film.

4. – Ça te plaît Paris ?

– Non, j'ai horreur des grandes villes.

5. Moi, je n'ai pas la télévision. Un bon livre, ça me suffit.

6. – Vous aimez les animaux ?

– Oui, J'ai un chat, deux chiens et un poisson rouge.

7. Je vis à la campagne. J'ai un petit jardin. Je cultive mes carottes, mes tomates. Je suis heureux.

8. Tous les matins, je fais un petit jogging. Je joue au tennis. Deux fois par semaine, je vais à la piscine et l'été, je fais de la randonnée.

Page 56
Micro-chansons
Dialogue témoin :

J'aime flâner sur les grands boulevards, y'a tant de choses, tant de choses à voir...

1. Que c'est triste Venise, au temps des amours mortes...

2. ...Oh la la la, c'est magnifique !

3. Oh ! qu'il est beau le lavabo...

4. Y'a de la joie, bonjour, bonjour les hirondelles, y'a de la joie, du soleil par-dessus les toits...

5. Z'étaient chouettes les filles du bord de mer...

6. J'aime pas les rhododendrons...

7. Je ne veux pas travailler...

Page 56
Passe-temps
1. J'aime bien cuisiner, expérimenter une nouvelle recette ou un plat exo-

tique. Quand je voyage, j'ai toujours un petit cahier pour noter une recette. Ce soir, on va commencer par de la feta (c'est un fromage grec). Ensuite, un tajine de mouton (c'est marocain).

2. Je m'intéresse à l'art en général. Je peux passer des heures dans un musée. Je suis allée plusieurs fois au Louvre. Je connais le musée du Prado à Madrid, le musée d'Art moderne à Berlin.

3. Je suis une passionnée d'archéologie. J'ai visité les pyramides d'Égypte et celles du Mexique. L'année prochaine, je vais au Pérou, visiter le Machu Picchu.

4. Moi, je suis cinéphile. Je vais presque tous les jours à la cinémathèque. J'adore le cinéma italien mais j'aime aussi le cinéma français des années quarante : Carné, Renoir, Pagnol…

5. Moi, ma passion, c'est le jardinage. J'ai un petit jardin. Je cultive des fleurs, des salades, des légumes.

6. Mon plus grand plaisir, c'est un week-end au coin du feu avec un bon livre à lire.

Page 57
Affinités…

1. Yannick / Laura :
   – Tu aimes le football ?
   – Ah non ! Pas du tout !
   – Et le tennis ?
   – Non plus.
   – Tu aimes la musique classique ?
   – Oui.
   – Moi aussi. Et qu'est-ce que tu aimes encore ?
   – Voyager.
   – Moi aussi.

2. Cyril / Laura :
   – Tu aimes la campagne ?
   – Oui, j'aime le calme, la solitude.
   – Moi aussi. Quel genre de musique est-ce que tu aimes ?
   – La musique classique.
   – Moi pas trop. Je suis plutôt techno. Comme sport, j'aime bien le football.
   – Moi non.
   – Et le tennis ?
   – Je n'aime pas ça.
   – Moi non plus.

3. Yannick / Éléonore :
   – Moi, je suis une fan de football !
   – Ah bon ! Moi, je préfère le tennis.
   – Et j'adore les grandes villes, la foule, le bruit, l'animation. Je m'ennuie à la campagne.
   – Moi non, c'est le contraire, j'aime bien rester tout seul avec un bon livre, de préférence à la campagne.
   – Alors, on n'a pas beaucoup de goûts en commun ! Tu n'aimes pas la musique techno, je suppose.
   – Euh non…
   – La musique classique ?
   – Ah si !
   – Et moi non !
   – J'aime bien voyager !
   – Enfin ! Moi aussi !

4. Yannick / Laura :
   – Je crois qu'on a beaucoup de goûts communs. Tu n'aimes pas le foot et moi non plus. Tu detestes les grandes villes et moi aussi…
   – Et j'adore les voyages.
   – Moi aussi.
   – Côté musique, je suis plutôt classique que techno.
   – Moi c'est pareil.

Page 58
En effeuillant la marguerite

1. Je n'ai pas de téléphone portable. Je trouve ça complètement nul.
2. Moi, ma passion, c'est les vieux livres.
3. – Comment tu la trouves ma nouvelle robe ?
   – Pas mal.
4. – Tu as vu sa coupe de cheveux !
   – C'est horrible !
5. Hm… des escargots. J'adore ça !
6. Moi, quand je vois un vieux meuble chez un antiquaire, ça me rend folle ! J'achète !
7. Moi, mon grand plaisir c'est de partir en mer sur mon bateau.
8. – Ça te plaît le rap ?
   – Bof…
9. – On va à la pêche dimanche ?
   – Tout, mais pas ça !
10. – Tu n'as pas la télé ?
   – Non, quand je veux voir un bon film, je vais au cinéma.

Page 59
On aime ou on n'aime pas !

1. – Vous avez fait un excellent travail, félicitations !
   – Merci, Monsieur le directeur.
2. – Il fait beau à Nice ?
   – Oui, il y a un soleil splendide. La mer est magnifique. Je passe des vacances merveilleuses. Et à Paris ?
   – Bof, nous, on est sous les nuages.
3. – Elle est mignonne, la copine de Marc…
   – Tu la trouves jolie ?
4. – Il est horrible ce tableau, tu ne trouves pas ?
   – Oui, c'est laid, mais ça se vend bien.
5. – Il est très amusant, ton frère.
   – Oui, mais il raconte toujours les mêmes histoires.
6. – Il est délicieux ce gâteau.
   – Oui, Marie est une excellente cuisinière.
7. Cette année, la situation économique a été médiocre.
8. J'ai fait un voyage horrible. Huit heures pour aller de Lyon à Paris !
9. – C'est horrible ! Qu'est-ce que c'est ?
   – Un gâteau au ketchup.
10. – Je ne trouve pas ça drôle !
   – Moi non plus !

Page 60
Cartes postales
Dialogue témoin :
– *Allô Maman !*
– *Christine ? Tu es où ? J'entends très mal.*
– *À Thessalonique !*

– *C'est beau la Grèce ?*
– *Magnifique ! Il fait très beau, les plages sont belles et les Grecs sont très gentils.*

1. – Quelle est votre profession ?
   – Je suis journaliste. Je m'appelle Xavier Gournot. Je suis à Cannes pour le festival. C'est très intéressant. Je vois beaucoup de monde. Hier, j'ai rencontré Robert de Niro.

2. – Vous allez où, Jacques ?
   – À Florence.
   Voyage d'affaires ou tourisme ?
   – Tourisme. Florence est une ville d'art : musées, églises, tout m'intéresse.

3. – Vous connaissez l'Égypte ?
   – Non, je viens pour la première fois, mais je suis passionné d'archéologie.
   – Vous restez longtemps ?
   – Une semaine. Je vais visiter le musée du Caire, les pyramides, Louksor, Assouan.
   – Vous allez voir, c'est extraordinaire.

Page 60
Phonétique : [f] / [v]
1. Je vais manger.
2. Je fais du sport.
3. Il est sympa Victor.
4. Vivement les vacances !
5. Il est neuf heures.
6. C'est beau Venise.
7. J'ai un fils.
8. Qu'est-ce qu'ils font ici ?
9. Viens vite !
10. Elles sont neuves.

Séquence 7 : reprise, anticipation

Page 61
Quelle heure est-il ?
Dialogue témoin :
– *Encore un petit peu de café, Bill ?*
– *Oui, merci.*

1. – Vous avez terminé le rapport Lambert ?
   – Non, pas encore. Je commence. Je vous l'apporte à midi.
2. – Salut Nicole. Excuse-moi, je suis en retard.
   – Mais non, tu es à l'heure !
3. – Bonjour Messieurs. Vous prenez l'apéritif ?
   – Non, merci. Donnez-nous la carte.
4. – Deux places pour *Un air de fête*, s'il vous plaît !
   – Voilà.
   – Merci !
5. – Aïe !
   – Je vous ai fait mal ?
6. – Quisiera hablar con el señor Torres.
   – C'est moi.
   – Ah ! Bonjour Roberto… C'est Jean-Louis.
7. Ils sont excellents ces tacos ! Encore un peu de tequila ?

Page 62
Mettez vos pendules à l'heure
Dialogue témoin :
– *Le TGV 728 à destination de Paris partira à 19 h 18 voie 4.*

– *Il est quelle heure ?*
– *Sept heures et quart.*
1. Dépêchez-vous les enfants ! Il est huit heures moins le quart ! C'est l'heure d'aller à l'école !
2. – Allô, Je voudrais réserver une table pour 4 personnes pour dîner.
   – Vers quelle heure ?
   – Vers huit heures et demie.
3. Oh la la, il est une heure moins le quart. On va rater le dernier métro !
4. Hier, on est allé dans une boîte de nuit. On est rentré à trois heures et demie.
5. – Tu vas à Paris demain ?
   – Oui, je pars tôt. Je prends le train de 7 h 10.
6. Comptine :
   – Quelle heure est-il Madame Plaît-il ?
   – Six heures et quart, Madame Placard.
   – En êtes-vous sûre, Madame Lazure ?
   – Assurément, Madame Durand.

Page 63
Réagissez !
1. 140 + 56, ça fait 206.
2. …
3. Ça y est !
4. …
5. Il est prêt ce rapport ?
6. – …
   – Qu'est-ce que tu dis ?
7. …
8. – Votre numéro de Sécurité sociale ?
   – 1 46 euh… 38, non 39, euh…

Page 63
Hier ou demain ?
1. Aujourd'hui, j'ai regardé la télévision.
2. Dimanche dernier ? j'ai fait du vélo.
3. Aujourd'hui, j'ai un rendez-vous très important.
4. Cette semaine, j'ai eu beaucoup de travail.
5. Cette semaine, je vais à Berlin.
6. J'ai vu ta sœur la semaine dernière. Elle va très bien.
7. Je reviens dans une semaine.
8. Demain, c'est le 14 juillet.
9. Allez à bientôt. On se revoit après-demain !
10. Il est arrivé dimanche dernier et il est reparti avant-hier.
11. Ce week-end, je me repose. Je suis vraiment fatigué !
12. J'ai téléphoné à Jean il y a une semaine. Il va bien. Il est sorti de l'hôpital.
13. Ce week-end, j'ai lu, je me suis baigné, j'ai regardé un bon film à la télévision. Un vrai week-end de repos !

Page 63
Exercice : l'heure courante, l'heure officielle
1. – Excusez-moi Mademoiselle… Vous avez l'heure ?
   – Il est onze heures moins le quart !
   – Merci.
2. Au quatrième top, il sera exactement 20 heures 45 minutes 30 secondes. Top, top, top, top.
3. Départ le 24 novembre à 10 h 35 de Roissy, arrivée à 16 h 45, heure locale.
4. Il est midi et demi, je vais manger.
5. Je me lève tous les matins à six heures et demie.
6. J'ai un rendez-vous chez le docteur Duchamp à 17 h 45.

Page 63
Exercice : présent / passé composé
1. Qu'est-ce que tu prends ?
2. Qu'est-ce qu'ils mangent ?
3. Tu as fait un bon voyage ?
4. J'ai pris le train de 6 h 50.
5. Qu'est-ce qu'il fait ton père ?
6. Vous comprenez ?
7. Qu'est-ce que tu as dit ?
8. Vous avez compris ?
9. Qu'est-ce que vous avez mangé ?
10. Vous parlez espagnol ?

Page 63
Phonétique : [k] / [g]
1. Guy est là ?
2. Tu connais Caen ?
3. Tu as vu le film *Carrie* ?
4. Quel beau gâteau !
5. Il est gris.

Page 64
De ma fenêtre…
1. Moi, j'habite à la campagne. Quand je regarde par la fenêtre de ma chambre, je vois des arbres, des fleurs et j'entends le chant des oiseaux.
2. Moi, j'habite en banlieue, dans une HLM. HLM, ça signifie « habitation à loyer modéré ». De ma fenêtre, je vois d'autres HLM, d'autres immeubles.
3. Moi, j'habite à Sète, dans le Sud de la France. De ma fenêtre, je vois la mer et la plage de Sète, j'entends le bruit des vagues et le cri des mouettes.
4. Moi, j'habite dans la banlieue parisienne, près de l'aéroport de Roissy. De ma fenêtre, je vois passer les avions et j'entends le bruit des réacteurs. C'est insupportable !
5. Moi, j'habite en face de l'école. De ma fenêtre, je vois la cour de l'école et j'entends les cris et les rires des enfants. J'aime bien les enfants.
6. Ce que je vois de ma fenêtre ? Des poissons !
7. Moi, un petit coin de ciel bleu ou alors des nuages…

Page 65
Où sont passées mes pantoufles ?
1. – Je ne trouve pas mon livre de français, il est où ?
   – Dans ta chambre !
2. – Où est la moutarde ?
   – Dans le frigo !
3. – Je n'ai pas le numéro de téléphone de Julie.
   – Il est à côté du frigo !
4. – Où est le champagne ?
   – Dans le frigo, en bas !
5. – J'ai perdu les clés de la voiture !
   – Elles sont sur la table de la cuisine.
6. – Je cherche ma veste verte.
   – Mais elle est dans ta chambre, sur un fauteuil.
7. – Où est-ce que tu as mis *Le Nouvel Observateur* ?
   – Dans la chambre, à côté du lit.
8. – J'ai acheté des piles, non ?
   – Elles sont dans l'entrée, sur la commode.
9. – Où est ma robe bleue en cachemire ?
   – Dans la salle de bain, mais dans la machine à laver.
10. – Où est mon carnet d'adresses ?
    – Dans ta chambre, sur le bureau.

Page 65
Exercice : la morphologie des verbes
1. Est-ce que tes parents vont bien ?
2. Qu'est-ce que vous faites ce week-end ?
3. Ils ne comprennent rien.
4. Vous avez combien d'enfants ?
5. Qu'est-ce que vous écrivez ?
6. Chut ! Il dort !
7. Ouvre la porte !
8. Pierre ? Il prend sa douche.
9. Tu veux du café ?
10. Ils ne sont pas là.

Page 65
Phonétique : [ã] / [ẽ]
1. Moi, j'aime pas le vent.
2. Qu'est-ce que tu prends ?
3. Cinq mille euros ! C'est cher !
4. J'habite à Saint-Malo.
5. On va au bar avant.
6. C'est beau les Andes…
7. J'ai faim !
8. Descends vite !
9. Attends-moi !
10. On se serre la main ?

Page 66
Tu / vous
1. – Eh, salut Paulo !
   – Salut Roger !
   – Tu vas bien ?
   – Oui, et toi ?
   – En pleine forme !
   – Tu prends quelque chose ?
   – Oui, un café.
   – Qu'est-ce que tu fais en ce moment ?
   – Je travaille dans l'import-export.
   – Et ta copine Agnès, elle va bien ?
   – Pas ma copine, ma femme. On est marié depuis un mois.
2. – Vous êtes musicien ?
   – Non, je suis étudiant, mais je joue de temps en temps aux terrasses des cafés pour gagner un peu d'argent.
   – Qu'est-ce que vous faites comme études ?
   – Sociologie.
   – Où ?
   – À Nantes.
   – Je ne connais pas Nantes.
   – C'est une ville sympathique.
   – Vous jouez de la musique bretonne ?
   – Oui, mais je chante en français. Je ne suis pas breton ! Je suis de Nancy.

Page 66
Petite histoire de chiffres
Un autobus part avec 2 passagers. Au premier arrêt, 3 passagers montent et 2 descendent. Au deuxième, 5 passagers montent et 2 descendent. Au troisième arrêt, 7 passagers montent et 1 descend. Au quatrième, 3 passagers montent et 4 descendent. Au terminus, tout le monde descend.

Il y a combien d'arrêts ?
Au terminus, il reste combien de passagers ?

Page 66
Exercice : tu / vous
1. – Salut Marc !
   – Salut Monique. Ça va ?
2. – Bonjour, René Grosjean, je suis journaliste.
   – Antoine Lepic, enchanté de faire votre connaissance.
3. – Allez ciao, à demain !
   – Bon voyage !
4. – Elles sont sympas tes copines !
   – Ouais, surtout Jocelyne.
5. – Dépêche-toi, c'est l'heure !
   – J'arrive !
6. – Merci beaucoup, jeune homme !
   – À votre service !
7. – Mange ta soupe !
   – Oui, Maman.
8. – Bonjour docteur !
   – Bonjour Mademoiselle. Qu'est-ce qui ne va pas ?
9. – Signez ici.
   – Voilà.
   – Je vous remercie.
10. – Votre billet s'il vous plaît.
    – Voilà.
    – Bon voyage.

Séquence 8 : arguments

Page 67
Arguments
Dialogue témoin :
J'ai trouvé un appartement près de la gare. 3 000 F par mois, ce n'est pas cher et c'est à 5 minutes à pied de mon travail, mais c'est un peu petit, et en plus c'est au sixième étage, et il n'y a pas d'ascenseur.
1. – On va passer le week-end à Courchevel ?
   – Oh non, il y a trop de monde sur les pistes et en plus c'est cher.
2. À midi, je fais des hamburgers avec des frites. Les enfants adorent ça !
3. Je vais mettre ma cravate bleue, elle va très bien avec ma chemise mauve.
4. – Il est bon mon café ?
   – Il est trop fort pour moi !
5. Quand je vais à Carcassonne, je vais toujours à l'hôtel Beausite. C'est au centre-ville et ce n'est pas cher.
6. J'ai vu le dernier film de Bertrand Boulanger. C'est ennuyeux. C'est très lent et ça manque d'action.
7. – Ma voiture est en panne !
   – Je connais un petit garagiste. Il est sérieux et en plus, il n'est pas cher.
8. – Tu n'invites pas les Dupont du Bujadier ?
   – Non, ils sont insupportables.

Page 69
Chef-d'œuvre ou navet ?
1. a) – Ça t'a plu, *Un jour de printemps* ?
   – Bof, il n'y a pas d'histoire. Il ne se passe rien. Je me suis endormie au milieu du film.
   b) – Tu as vu *Un jour de printemps* ?
   – Non. C'est bien ?
   – Génial ! Il ne se passe rien, mais c'est très drôle. C'est un grand film !
   c) *Un jour de printemps* ? C'est un petit film, pas très drôle, un peu ennuyeux.
2. a) – Tu as regardé *L'homme de São Paulo* hier soir à la télé ?
   – Oui, c'est pas terrible. Je préfère un bon James Bond.
   b) – Tiens ce soir à la télé, il y a *L'homme de São Paulo*. Tu connais ?
   – Oui, c'est super. On ne s'ennuie pas une minute.
   c) – On regarde *L'homme de São Paulo* ?
   – Je l'ai déjà vu. C'est pas trop mal. Mais sur la 2, il y a *Pour la vie*. Ça, c'est un vrai chef-d'œuvre.
3. a) *Le héros est fatigué* ? C'est nul, pas drôle du tout. Je me suis endormie avant la fin du film.
   b) Tiens hier, j'ai vu *Le héros est fatigué*. C'est vraiment très drôle.
   c) *Le héros est fatigué* ? C'est amusant, mais sans plus.
4. a) Va voir *Pour la vie*. C'est génial, c'est super, c'est un très grand film. C'est vraiment génial.
   b) *Pour la vie* ? Tout le monde dit que c'est génial. Moi, je ne trouve pas.
   c) *Pour la vie* ? Oui, je l'ai vu. C'est un petit film sympa.

Page 70
Compliments
Dialogue témoin :
– Il est très joli, ton pull.
– Tu trouves ? C'est un cadeau de Jean-Philippe.
– Et en plus, il va très bien avec ta jupe.

Page 71
C'est très bien pour lui
1. Moi, mon rêve c'est de vivre au soleil, sous les cocotiers. Malheureusement, je vis à Grenoble, moi qui déteste le froid.
2. – Quels sont les plats que vous préférez et ceux que vous aimez le moins ?
   – Je n'aime pas les épinards, mais j'adore les pommes-frites avec un bon steak. Je ne mange jamais de poisson. J'aime bien le riz, mais je déteste les carottes. J'aime bien la salade verte, mais pas trop les concombres.
3. – Quels sont vos loisirs préférés ?
   – Je suis très sportive, alors pour les vacances, je choisis un endroit où je peux jouer au tennis, monter à cheval, partir en randonnée.

Page 71
Phonétique : [e] / [ɛ]
1. Sa mère est très élégante.
2. Tu veux du thé ou du café ?
3. Cet été, je vais à la mer.
4. Dépêchez-vous ! Vous êtes en retard !
5. Je suis né le 25 décembre.
6. J'ai acheté un vélo.
7. J'ai passé une bonne soirée.
8. Hier, j'ai déjeuné avec Hélène.
9. Bonne fête, Éléonore !
10. Tu as téléphoné à ton père ?

Page 74
Culture(s) : Dites-le avec les mains
1. – Il est bien ce film ?
   – Bof, comme ci, comme ça…
2. – Alors, cet examen ? C'est pour demain ?
   – Oui.
   – Bonne chance !
3. – Tu as fini le rapport Lambert ?
   – Oui, oui, fini, terminé !
4. – Encore un peu de café ?
   – Non, merci !
5. – Allez, au revoir, à bientôt !
   – D'accord, on se téléphone ?
6. – Salut René ! Ça va ?
   – Oui, mais il fait froid aujourd'hui !
7. – Tu veux encore du café ?
   – Oui, mais un tout petit peu.
8. – Tu travailles lundi ?
   – Ah non ! Je suis en vacances !

PARCOURS 3 : LE TEMPS

Séquence 9 : tranches de vie

Page 77
Tranches de vie
– Je crois qu'on se connaît !
– Alain !
– Victor !
– C'est extraordinaire !
– Finalement, tu n'as pas changé !
– J'ai un peu vieilli.
– Moi aussi !
– Qu'est-ce que tu as fait pendant toutes ces années ?
– J'ai beaucoup voyagé ! J'ai travaillé comme photographe dans une agence de presse. L'Afrique, le Moyen-Orient, les Balkans. Mais j'ai arrêté il y a trois ans. Maintenant, je suis directeur d'une agence de voyages. J'ai une vie plus tranquille, quand je voyage, c'est les Baléares, la Grèce et les Antilles. Et toi ?
– Moi aussi, j'ai un peu voyagé. J'ai travaillé pendant deux ans comme professeur de français, au Canada, à Toronto. Ensuite, je suis rentré en France. Je travaille dans le multimédia. Il y a quatre ans, j'ai créé un site Internet de vente en ligne.
– Toujours célibataire ?

– Non. Tu te rappelles de Marie, la sœur de Jean-Luc ?
– Oui.
– On s'est marié il y a deux ans. Nous avons une petite fille, Noémie.
– Et toi ?
– Moi aussi. Mais la femme de ma vie, je l'ai rencontrée en Afrique. Elle est d'origine nigériane et nous avons deux enfants, un garçon et une fille.

Page 78
Tu as passé un bon week-end ?
Dialogue témoin :
– Tu as passé un bon week-end ?
– Oh, tranquille, j'ai dormi, j'ai lu et j'ai regardé la télévision. Et toi ?

Page 80
Mamie gâteau
Dialogue témoin :
– Allô Maman ! C'est Sophie.
– Bonjour ma chérie. Alors ça se passe bien ces vacances chez ta grand-mère ?
1. – Le train en provenance de Paris entre en gare, quai numéro un.
   – Sophie !
   – Mamie !
2. – Moi, je vais prendre des spaghettis à la carbonara. Et toi Sophie ?
   – Moi, une pizza.
3. Viens, elle est bonne.
4. – Elle est bonne ta glace ?
   – Délicieuse. Tu veux goûter ?
5. Je veux celui-là ! Il a l'air gentil ! Je vais l'appeler Snoopy !
6. Deux places pour *Kirikou et la sorcière* !

Page 80
Exercice : passé composé avec « être » ou « avoir »
1. Cet été, nous sommes allés en Grèce.
2. J'ai travaillé un an en Espagne.
3. Je suis né le 2 août 1969.
4. Ils sont partis hier, en fin d'après-midi.
5. J'ai fait mes études à Toulouse.
6. Ils sont arrivés par le train de 17 h 43.
7. J'ai rencontré ta sœur à la poste.
8. Est-ce que tu as acheté du pain ?
9. Quand est-ce que vous êtes revenu en France ?
10. Elle est sortie vers 10 heures.

Page 82
Micro-chansons : être ou ne pas être
Dialogue témoin :
Il est revenu le temps du muguet...
1. Je suis reparti, sur Québec Air... Eastern, Western... Panamerican...
2. Que sont mes amis devenus, que j'avais de si près tenus et tant aimés...
3. Quand il est mort, le poète...
4. Aujourd'hui, j'ai rencontré l'homme de ma vie. J'suis montée dans son appartement, entre le ciel et le firmament.
5. Je suis né dans un petit village qui a un nom pas du tout commun. Bien sûr entouré de bocages, c'est le village de Saint-Martin.
6. Tonton Cristobal est revenu...

7. Zorro est arrivé, sans se presser, le bon Zorro, le beau Zorro, avec son cheval et son grand lasso...
8. Il court, il court le furet, le furet du bois Mesdames, il court, il court le furet, le furet du bois Joli. Il est passé par ici, il repassera par là...
9. Je suis tombé par terre, c'est la faute à Voltaire, le nez dans le ruisseau, c'est la faute à Rousseau...
10. J'étais tranquille, j'étais peinard, accoudé au comptoir, le type a surgi du boulevard sur sa grosse moto super chouette.
11. Je suis sorti avec Marcelle. Il est sorti avec Marcelle...

Séquence 10 : événements

Page 83
Célébrités
1. C'est une femme, française, d'origine polonaise, elle et son mari ont obtenu le prix Nobel de physique en 1903.
2. C'est un grand urbaniste et architecte français. C'est lui qui a construit la chapelle de Ronchamp.
3. Son invention a marqué notre univers. C'est un scientifique, nous lui devons le cinéma.
4. Elle a écrit de nombreux livres, elle a une double nationalité, elle est entrée à l'Académie française en 1980. C'était la première femme académicienne.
5. Cet ingénieur français, mort en 1923, a construit à Paris le monument le plus visité de la capitale.

Page 84
C'est fait ou ce n'est pas fait ?
Dialogue témoin :
– Pourquoi est-ce que tu n'as pas fait le plein d'essence ?
– Excuse-moi, mais j'ai oublié.
1. – Allô ? Interflora ?
   – Oui.
   – Je voudrais envoyer des fleurs à l'adresse suivante : Renée Dujardin, 20 rue Victor Hugo à Nancy.
   – Oui, c'est noté. Je peux avoir votre numéro de carte bleue ?
2. – Tu as envoyé un petit mot à Nathalie ?
   – Oui, une jolie carte d'anniversaire. Tu as un timbre ?
   – Non.
3. – Tu es passé au garage ?
   – Désolé, je n'ai pas eu le temps.
4. – Tu as pensé à inviter les Perrier pour jeudi ?
   – Ah zut ! J'ai oublié !
5. – Cabinet Dantier, je vous écoute.
   – J'ai très mal aux dents. Est-ce que je pourrais passer cet après-midi ?
   – À quinze heures trente, ça vous convient ?
   – C'est parfait.
6. – Tu as des nouvelles d'André ?
   – Non.

7. – Tu as payé le téléphone ?
   – Non. Mais je vais passer à France Télécom cet après-midi.
8. – J'ai une surprise pour toi ! Lundi, on va au théâtre. J'ai deux places pour le spectacle de Smaïn !
   – C'est super !

Page 84
Phonétique : phonie / graphie du son [ε] en finale
1. Je vis en paix.
2. Ce n'est pas vrai.
3. Il fait très beau.
4. Tu as de la monnaie ?
5. Tu veux du lait ?
6. Tu connais la forêt de Fontainebleau ?
7. C'est complet.
8. J'habite près d'ici.
9. Je voudrais un ticket de métro.
10. En mai, fais ce qu'il te plaît.

Page 86
Un voyage mouvementé !
1. En raison d'une grève du personnel navigant, nous informons les passagers du vol XL 222 que leur départ aura lieu à 12 h 50.
2. Ici votre commandant de bord, Patrick Tupolev. Désolé pour ce retard. Nous décollerons dès que le trafic aérien le permettra.
3. En raison d'un problème technique sans gravité, nous allons faire escale à Rome. Veuillez nous excuser pour ce contretemps.
4. Vous êtes priés d'attacher vos ceintures, nous abordons actuellement une zone de turbulence.
5. En raison des mauvaises conditions météo, nous sommes dans l'obligation de retarder tous les vols. Veuillez consulter les panneaux d'affichage.
6. – J'ai perdu ma valise.
   – Votre nom ?
   – Claude Bonaventure.
   – Quelle est la couleur de votre valise ?

Page 87
Est-ce qu'il a dit la vérité ?
Dialogue témoin :
– Allô chérie !
– Marc ! Ça va ? Ça se passe bien au Brésil ?
– Oui...
– Qu'est-ce que tu as fait aujourd'hui ?
– Oh la la ! Aujourd'hui... Ce matin j'ai visité une fabrique de pneus. J'ai rencontré nos partenaires brésiliens. J'ai déjeuné avec un banquier. L'après-midi, j'ai signé un contrat important. Je suis épuisé.

Page 87
Vous pouvez laisser un message
Dialogue témoin :
– Allô ? Je voudrais parler à M. Martin.
– Il n'est pas là, mais vous pouvez laisser un message.
– C'est de la part de Georges Delarue. J'ai rencontré notre client Monsieur Leroux. Il a signé le contrat. Je suis à l'hôtel

Belvédère. Chambre 216. M. Martin peut me joindre au 02 66 82 25 27.
– C'est noté.
1. – Allô ? Je voudrais parler à M Martin.
– Il n'est pas là, mais vous pouvez laisser un message.
– Voilà, il cherche un appartement dans le quartier du stade. Je loue une petite maison individuelle, 3 pièces + cuisine, à 4500 francs par mois. C'est tout près du stade. Je vous laisse mon téléphone : Claude Morel, 03 62 56 56 60.
2. – Allô ? Est-ce que je peux parler à Marie Lenormand ?
– Elle n'est pas là, mais je peux lui laisser un message.
– Oui.
– C'est de la part de qui ?
– De Julie. Je suis à la gare. Je dois partir à Paris d'urgence. Je ne peux pas aller au théâtre avec elle ce soir.
– C'est noté.
– Je vous remercie.
3. – Allô ? Est-ce que je pourrais parler à Denis Walter ?
– Il est en réunion, mais vous pouvez lui laisser un message.
– Voilà, j'ai raté mon train. La réunion est annulée.
– C'est la part de qui ?
– De Jérôme Perrin.
– C'est noté, Monsieur Perrin.

Page 88
Incroyable mais vrai !
1. – Tu as arrêté de fumer ?
– Oui.
– Comment tu as fait ?
– J'ai acheté un briquet électrique. Quand tu l'allumes, tu reçois une décharge électrique.
– Allez, tu te moques de moi !
– Mais non, je t'assure ! C'est vrai !
2. – À qui tu téléphones ?
– À mon chien.
– À ton chien, tu plaisantes ?
– Non, je lui ai acheté un portable.
3. – L'essence a encore augmenté. 1 euro 30 le litre ! Je crois que je vais acheter un vélo.
– Tu devrais rouler à l'huile de friture. Je l'ai lu dans le journal. Il y a un Hollandais qui s'est fait arrêter à la douane. Il roulait à l'huile de friture.
– Je n'aime pas les frites.
4. – Tu as déjà mangé un steak de kangourou ?
– Non, ça se mange le kangourou ?
– Oui. J'ai lu ça dans le journal.
– Et toi, tu savais qu'on peut faire des steaks de bœuf sans bœuf ?
– Non.
– Eh bien maintenant, tu le sais.

Séquence 11 : reprise, anticipation

Page 89
SVP
1. – Chérie, passe-moi le sel !
– Vous pourriez m'apporter du sel et de la moutarde ?
– Je voudrais une boîte de sel fin et un pot de moutarde.
2. – Passe-moi un stylo, j'ai oublié le mien !
– Vous pourriez me prêter un stylo Mademoiselle.
– Je voudrais un beau stylo plume, c'est pour un cadeau.
3. – Garez-vous sur la droite et présentez-moi les papiers du véhicule.
– Gare-toi là, il y a une place.
– Est-ce que vous pourriez me déposer en face de la poste ?
4. – Les passagers du vol New York - Paris AF 457 sont priés de se rendre porte 15 pour embarquement immédiat. La compagnie Air France vous souhaite un agréable voyage.
– Dépêche-toi, sinon on va rater l'avion !
– Voilà Madame, présentez-vous porte 15, une demi-heure avant l'heure d'embarquement.

Page 90
Kling !
Dialogue témoin :
– *Je vais prendre une douzaine de « kling ». J'adore les « kling ». Et ensuite des cuisses de « kling » ! Et toi, John ?*
– *Moi non, c'est horrible ce que vous mangez, vous, les Français !*
– *C'est pour ça qu'on nous appelle les « froggies » !*
1. – Je voudrais des « kling ».
– Vous en voulez combien ?
– Une douzaine.
– Ils sont tout frais.
2. Donnez-moi 6 tranches de « kling ».
3. – Garçon ! Un demi de « kling », s'il vous plaît !
– Blonde ou brune ?
4. – Je voudrais une paire de « kling »...
– Quelle pointure ?
– Du 38.
5. – Je voudrais un litre de « kling », s'il vous plaît !
– D'arachide, d'olive ou de tournesol ?
– D'olive.
6. – Je voudrais un kilo de « kling » très fine, c'est pour faire un gâteau...
7. – Vous désirez ?
– 4 douzaines de « kling » et 4 citrons.
– Elles sont toutes fraîches et 4 euros la douzaine, ce n'est pas cher.
8. – Qu'est-ce que vous avez comme « kling » ?
– Veuve Clicquot, à 20 euros la bouteille ou Mumm, à 30 euros.

Page 91
Faites les courses
1. – Est-ce que vous auriez le *Guide du routard* sur la Thaïlande ?
– Non, je viens de vendre le dernier. Tout le monde va en Thaïlande, cette année ! Mais j'ai un excellent petit guide dans la collection « Voyages éco ».
– Non, je préfère le *Guide du routard*.
– Désolé Monsieur.
2. – Vous désirez ?
– Un kilo de farine.
– C'est pour faire de la pâtisserie ?
– Non, des crêpes.
– Voilà. Ce sera tout ?
– Non, je voudrais aussi une bouteille d'eau minérale.
3. – Bonjour Madame.
– Bonjour Monsieur Leroux. Il fait beau aujourd'hui. Un pain bien cuit, comme d'habitude ?
Oui et je voudrais aussi 4 croissants.
– Voilà. Les enfants vont bien ?
4. – Je voudrais un poulet de 2 ou 3 kilos.
– J'ai des poulets de ferme élevés en plein air. Vous allez voir, ils sont excellents.
– Vous désirez autre chose ?
– Oui, 4 tranches de jambon blanc.
– J'ai un excellent jambon. C'est mon beau-frère qui le fabrique.
– Et je pourrais avoir quelques os pour le chien ?
5. – De l'aspirine, s'il vous plaît !
– Voilà. Ce sera tout ?
– Oui. Je vous dois combien ?
– 26,80 F.

Page 92
Un peu de vocabulaire !
1. – Encore une tranche de gâteau ?
– Non, merci, je n'ai plus faim !
2. Elle est à qui, cette paire de gants ?
3. S'il vous plaît ! Je pourrais avoir une rondelle de citron avec mon Perrier ?
4. Je voudrais 10 rondelles de saucisson et 6 tranches de jambon...
5. Je voudrais une demi-livre de beurre et une douzaine d'œufs.
6. Tu peux acheter une boîte de sel, un paquet de café, une boîte de petits pois et un paquet de petits-beurre ?
7. – Je voudrais des allumettes.
– Une boîte ou une pochette ?

Page 93
Juger une attitude
Dialogue 1 :
– Comment tu le trouves Jean-Marie ?
– Très gentil, toujours aimable, jamais impoli. Il ne se met jamais en colère.
– Oui, c'est vrai. Il a toujours un petit compliment pour tout le monde !
– Moi, ce que j'aime bien, c'est sa franchise. Il dit toujours ce qu'il pense.

Dialogue 2 :
– Qu'est ce qu'il est désagréable, le nouveau directeur ! Il est très agressif. Il ne parle pas, il aboie !
– En plus, il n'a pas appris la politesse !
– Moi je ne suis pas d'accord. Je ne le trouve pas méchant, Monsieur Lambert. Un peu sévère peut-être, mais c'est le patron !
1. Bonjour Alice, très joli votre petit chemisier rose.
2. Je crois que vous vous trompez, Monsieur le directeur. Nos prix ne sont pas assez compétitifs pour le marché américain.

3. – Bonjour Monsieur.
   – Je vous ai dit de ne pas me déranger !
4. Mais où est-ce que vous avez appris à taper à la machine ? Il y a une faute par ligne.
5. – Alors, il vient ce rapport !
   – Mais Monsieur, il est sur votre bureau depuis 2 jours !
   – Quelle bande d'incapables !
6. Félicitations ! Ce rapport est excellent ! Vous avez fait du bon travail !
7. *Toc toc toc !*
   – Entrez ! Bonjour Mademoiselle Leroux. Comment allez-vous ?
   – Très bien.
   – Vous prenez un petit café ?
8. – Mademoiselle Leroux !
   – Oui Monsieur !
   – Je vous ai dit « sans sucre le café ! »

Page 94
Pour ou contre les téléphones mobiles ?
Dialogue témoin :
– Monsieur, quelle est votre opinion sur les téléphones portables ?
– Attendez, j'ai un appel.
– Allô ?
– Allô Monsieur, excusez-moi de vous déranger, mais je fais une enquête sur les utilisateurs de téléphones portables.

1. Oui, j'ai un téléphone portable et je trouve que c'est très utile. La semaine dernière, j'étais sur la route, en pleine campagne. Il y avait une voiture accidentée et dans la voiture une jeune femme et deux enfants blessés. Avec mon portable, j'ai appelé la police, les pompiers et 10 minutes plus tard, ils s'occupaient des blessés.
2. Les portables ? C'est insupportable. Vous allez au cinéma et il y a 10 téléphones qui sonnent pendant la séance. Au restaurant, c'est pareil. Vous parlez tranquillement avec quelqu'un, son portable sonne et vous devez attendre 5 minutes pour continuer votre conversation.
3. – Monsieur ? Est-ce que vous possédez un téléphone portable ?
   – Non.
   – Vous pouvez me dire pourquoi ?
   – Ça coûte cher et en plus ce n'est pas vraiment utile !
4. Les portables ? C'est dangereux ! Il y a beaucoup d'accidents de voiture à cause des téléphones portables ! Vous téléphonez, vous ne regardez pas la route et c'est l'accident.
5. – Mademoiselle ! Qu'est-ce que vous pensez des téléphones portables ?
   – Je suis médecin. C'est vraiment très pratique. On peut me joindre à tout moment. Pour moi, c'est un outil de travail.

Page 94
Phonétique : doute / surprise
Exemple :
Il a acheté une Mercedes.
Jacques a réussi son examen !

1. Elle n'habite plus ici, Mademoiselle Duchemin !
2. Il est parti au Venezuela !
3. Tu as eu une augmentation de 200 euros par mois.
4. Jean-Marie Laplume a gagné les élections.
5. Jean-Louis s'est marié avec Joëlle !
6. Tu as fait ça tout seul !
7. Il neige à Athènes !
8. Il a gagné la course !
9. Elle va épouser un milliardaire.
10. Roger va faire du cinéma.

Page 95
Le journal d'hier et celui de demain
Aujourd'hui, nous sommes le mardi 6 mars 2001, bonne fête à toutes les Colette.
Voici les titres de l'actualité : après la victoire, hier soir, de Marseille sur Bordeaux, l'OM prend la tête du championnat de France.
Aujourd'hui, le Premier ministre japonais est en visite officielle en France. Il a rencontré le président de la République ainsi que le Premier ministre. Demain, il signera un accord économique entre nos deux pays. Dans deux jours, le sommet de Copenhague traitera des problèmes de pollution atmosphérique.
Hausse record de la bourse : après la hausse de 3 % d'hier, les valeurs françaises ont augmenté aujourd'hui de 2,5 %.

Page 96
Beau temps sur toute la France
Dialogue témoin :
Demain, il neigera sur les Alpes et le Massif central. Les températures seront comprises entre moins quatre degrés dans l'est du pays et plus cinq dans la moitié ouest de la France.

1. Et voici les prévisions de Météo France pour la journée de demain : le soleil brillera presque partout en France. Il y aura quelques orages en fin de soirée sur les Alpes et le Massif central. Quelques nuages traverseront la moitié nord du pays.
2. Le temps pour demain : pas d'amélioration : la moitié nord restera sous la pluie. Le temps sera très gris sur la moitié sud. La région Sud-Côte d'Azur connaîtra quelques éclaircies. Des vents violents balaieront l'est du pays.
3. Les températures seront proches de zéro. Il y aura quelques chutes de neige à partir de 800 mètres d'altitude. Seule la Corse connaîtra un temps plus doux avec 12 degrés à Bastia et 14 à Ajaccio. Pas d'amélioration en vue pour les jours qui viennent.

Séquence 12 : récits

Page 97
Comme au cinéma
1. – Il y a un homme qui s'est approché de la femme…
   – Il était comment cet homme ?

– Assez grand. Il avait des lunettes. Il était vêtu d'un manteau bleu. Il avait quelque chose sur la tête, une casquette, je crois.
   – Et la femme ?
   – Elle était blonde. Elle était habillée en blanc.
   – Qu'est-ce qu'ils ont fait ?
   – Ben, ils ont parlé. L'homme a donné quelque chose à la femme. Une enveloppe je crois, puis il est reparti.
2. – Moi, j'ai tout vu ! L'homme s'est approché de la femme. Il lui a donné une enveloppe. Ils avaient la même valise, une valise rouge. Ils ont échangé les valises, puis quand ils ont vu les flics, euh, les policiers, ils sont partis en courant.
   – Vous pouvez me les décrire ?
   – Oui, l'homme était plutôt grand, l'air sportif. Il avait un grand manteau bleu, des lunettes de soleil. J'ai trouvé ça bizarre, il pleut aujourd'hui. La femme était rousse, avec un costume blanc, plutôt élégante. Elle avait un foulard bleu.

Page 98
Le passé en chansons
1. C'était au temps où Bruxelles chantait, c'était au temps du cinéma muet…
2. Aujourd'hui, j'ai rencontré l'homme de ma vie…
3. Quand on partait de bon matin, quand on partait sur les chemins …
4. Il pleuvait fort, sur la grand route, elle cheminait sans parapluie. J'en avais un, volé sans doute, le matin même à un ami.
5. Dans les prisons de Nantes, y'avait un prisonnier….
6. Il s'appelait Stewball, c'était un cheval blanc, il était mon idole, et moi j'avais 12 ans…
7. Et j'ai crié, crié, Aline pour qu'elle revienne, et j'ai pleuré, pleuré…
8. Chacun pour soi est reparti, dans le tourbillon de la vie…

Page 99
Alors, raconte !
Enregistrement 1 : …
Enregistrement 2 :
– Salut Anne. Ça va ma grande ?
– Salut Paulo !
– Super cette soirée !
– Excellents ces spaghettis !
– Qu'est-ce qu'il fait chaud !
– J'ouvre la fenêtre.
– Et maintenant un petit rock ?
– Oui !
– Plus fort la musique !
– Police ! Vos voisins ont appelé, à cause du bruit. Il est plus de 10 heures.
Enregistrement 3 :
– Alors, tu es allé au Grand Prix de Manicourt ?
– Oui.
– C'était bien ?
– Non, Jean Vazzi a abandonné au bout de 2 tours.

– Il y avait du monde?

– Oui, c'était plein, mais il ne faisait pas beau. J'ai attrapé la grippe et j'ai eu un accident en rentrant.

Page 99
Exercice : repérage de l'imparfait
1. Qu'est que vous faisiez hier à midi?
2. Qu'est-ce que nous faisons?
3. J'ai été malade.
4. Qu'est-ce que tu voulais?
5. Vous dormiez à l'hôtel?
6. Où est-ce que vous étiez?
7. À quoi est-ce que vous pensez?
8. Vous aviez raison.
9. Avec qui est-ce que vous parliez?
10. En 1990, nous habitions dans le Sud-ouest.

Page 100
Les enquêtes du commissaire Poulet
– Où étiez-vous le 10 mars?

– Le 10 mars? J'étais à Lyon.

– Et le 11?

– À Paris. J'ai interviewé Claude Vigner, le cinéaste.

– Et c'est le 13 que vous avez rencontré Laurent Grosjean.

– Oui.

– Qu'avez-vous fait pendant le week-end?

– J'étais malade, je suis resté à la maison.

– Le 8 mars on vous a vu à Lyon.

– Impossible, j'étais à Deauville.

– Vous connaissez Laura Avril?

– Non.

Page 100
Phonétique : [t] / [d]
1. Il est parti.
2. Arrête de dire ça!
3. C'est dur et difficile.
4. C'est vraiment dangereux.
5. C'est ensemble que nous allons gagner.
6. Et toi, qu'est-ce que tu en penses?
7. Vous avez vu le dernier film de Resnais?
8. Quand il est parti, vous n'avez rien vu?
9. J'ai mal aux dents.
10. Vous allez gagner du temps.

Page 101
Le petit jardin
Voir livre de l'élève.

Page 102
Objets
1. Mon premier disque vinyle, c'était un disque de Claude François.
2. – Alors Yves, tu n'as pas la télé, pas de téléphone portable et tu as l'impression de vivre au 21e siècle?
   – Oui, mais moi, je sais lire.
3. Vous comprenez, nous qui avons des épiceries de quartier, nous ne pouvons pas résister à la construction d'une grande surface de plus, il n'y a pas de clients pour tous.

4. J'ai bien enregistré votre réservation du 12 au 14 juin, pouvez-vous m'envoyer un fax de confirmation?
5. – Vous êtes bien chez Marie Mercier, laissez votre message après le bip sonore…
   – Allô Marie, c'est Jean, j'arrive par le dernier TGV à 10 heures, j'espère que tu viendras me chercher. Bisous.
6. Non, on ne peut pas aller au Centre Pompidou, il est fermé pour travaux.
7. Tu veux trouver un billet d'avion pas cher pour le Brésil? Regarde sur Internet, je vais te donner des adresses de sites.
8. Ah! tu as vu la 2 CV? j'adorais ces voitures.
9. Je me souviens d'une manifestation contre les centrales nucléaires, c'était il y a très longtemps…
10. Patrick, il a acheté une Renault Espace, bien sûr, il a 4 enfants!

Page 104
Douce France (Charles Trenet)
Voir livre de l'élève.

PARCOURS 4 : INTERACTIONS

Séquence 13 : demandes

Page 107
C'est pour un renseignement…
Dialogue témoin :
Pardon, Monsieur. Je cherche le restaurant Le Cyrano. Est-ce que vous pourriez me dire où se trouve la rue Edmond Rostand?
1. Excusez-moi, Mademoiselle. Je suis perdu. C'est bien l'aérogare D, ici? Je voudrais aller à l'aérogare F.
2. – S.N.C.F. bonjour.
   – Bonjour. Je voudrais un renseignement, s'il vous plaît. Est-ce qu'il y a un train pour Belfort, vers 8 heures, 8 heures et demie?
3. Mmm! C'est délicieux, ton plat! Tu pourrais me donner la recette?
4. Voilà. Je voudrais aller en Grèce pour un séjour d'une semaine. Vous pouvez me dire combien ça coûte, à peu près?

Page 109
Perdu dans la ville!
– Allô Jean? C'est Henri!

– Tu es où?

– À la gare! On se retrouve où?

– Au Café des sports.

– C'est où?

– Allô Martine, c'est Jean.

– Tu as fait un bon voyage?

– Oui, merci. Je peux t'inviter à manger ce soir?

– Oui, pas de problème. Ça me fait plaisir de te revoir, après tant d'années. Tu connais un restaurant sympa?

– Bon la pizzeria Le Vésuve, c'est pas terrible. On pourrait aller à la galerie mar-chande. Il y a un petit restaurant sympa, Le Gargantua.

– Je ne connais pas la ville. C'est où?

– Tu es à quel hôtel?

– L'hôtel Ibis.

Page 110
Horaires en tout genre
1. – Allô? Bonjour.
   – Bonjour Madame.
   – S'il vous plaît, vous pourriez m'indiquer les horaires de consultation du docteur Mangin?
2. Pardon Monsieur, est-ce que vous pouvez me dire si on a beaucoup de temps pour visiter le musée Courbet?
3. Pardon Madame, *Le Petit Homme*, c'est à quelle heure?

Page 110
Phonétique : intonations de la demande
1. a) Tu vas te taire!
   b) Tu vas te taire!
2. a) Tu pourrais m'aider?
   b) Tu pourrais m'aider!
3. a) On va au lit les enfants?
   b) On va au lit les enfants!
4. a) Encore!
   b) Encore!
5. a) Tu me montres ces photos?
   b) Tu me montres ces photos!
6. a) Fais attention!
   b) Fais attention!
7. a) Tu restes là?
   b) Tu restes là!
8. a) Tu ne peux pas faire ça!
   b) Tu ne peux pas faire ça!

Page 111
Mais de quoi ils parlent?
Dialogue témoin :
– Allô Pierre? C'est Sylvie. Tu pourrais passer au supermarché?
– J'y suis.
– Tu peux acheter du pain? Il n'y en a plus.
– J'en ai acheté.
1. – Vous en voulez encore une tasse?
   – Oui.
   – Avec ou sans sucre?
   – Sans.
2. – J'y vais. C'est l'heure.
   – Travaille bien!
3. – Vous en voulez combien?
   – 6 douzaines. Donnez-moi aussi 4 citrons.
4. – Vous y allez comment?
   – En train. Je n'ai jamais pris le tunnel sous la Manche.
5. – Si vous en achetez deux, la troisième est offerte.
   – D'accord. je vais prendre la bleue à pois rouges, la verte à rayures jaunes et la noire.
6. – Tu en veux encore?
   – Oui, c'est délicieux.
   – C'est une recette de ma mère.
7. – J'y ai vécu pendant 3 ans. J'habitais près du port.
   – J'aime beaucoup cette ville.

Page 112
Si tu vas à Rio...
Dialogue témoin :
– Allô, bonjour Mademoiselle. Ici Jean Lavigne de l'université de Bordeaux III. Je dois faire une série de conférences au Brésil sur l'Amérique latine et la littérature française et on m'a dit de contacter M. Pierre Lefranc pour mettre au point mon programme.
– Ne quittez pas, je vous le passe.
Monsieur Lefranc ? Ici Jean Lavigne. À Paris, on m'a dit de vous contacter.
– Ça tombe bien, je viens de terminer votre programme. Donc, départ de Paris-Roissy par le vol Air France du samedi 29 juillet. Départ 13 h 50, arrivée à Rio à 18 h, heure locale. Vous êtes logé à l'hôtel Novomundo, c'est dans le centre. Vous avez une première conférence au Centre culturel français le lundi à 17 h, puis le lendemain à l'université. Attendez, je consulte votre programme, l'université, c'est à 10 h. L'après-midi vous prendrez l'avion pour São Paulo. C'est le vol Varig AX 447. Départ 15 h 30, arrivée 16 h 45. Vous êtes logé à l'hôtel Ambassador. Votre conférence a lieu le lendemain à l'Alliance française. Serge Lecomte, le directeur, s'occupera de vous. Vous verrez, c'est quelqu'un de très sympathique. Le 4 août, vous repartez pour Belo Horizonte, conférence le soir. Pour Belo Horizonte, je n'ai pas le nom de l'hôtel.
– Comme je vous l'ai dit par courrier, je voudrais profiter de mon passage au Brésil pour prendre quelques jours de vacances. C'est mon premier voyage au Brésil.
– Oui, bien sûr, pas de problème ! Le 5, je vous ai réservé un vol pour Salvador de Bahia, vous serez à l'hôtel Excelsior, retour le mercredi 9 vers Rio, puis Paris. Vous avez un mail ?
– Oui, jean.lavigne@wanadoo.com.
– Très bien. Je vous confirme tout de suite cela par mél.

Page 113
Les paroles s'envolent, les écrits restent
1. – Allô ? Bonjour Madame.
  – Bonjour Monsieur.
  – Je suis le locataire du 2e... Je vous appelle pour vous demander un petit service...
  – Ah ! Bonjour Monsieur Fourrier... Je vous écoute...
2. – Bonjour Madame. Je vous appelle pour vous demander une fiche d'inscription.
  – Très bien. Donnez-moi votre adresse et je vous l'envoie.
3. – Écoutez, mon vieux, je vous donne rendez-vous lundi prochain, dans mon bureau, vers 16 h 30. Ça vous va ?
  – C'est d'accord.
4. – Salut Antoine.
  – Ah ! Salut Claudine.
  – Tu sais que c'est mon anniversaire samedi prochain...
  – Je n'ai pas oublié.
  – Alors je t'invite.

5. – Réception de l'hôtel Pallas. Bonjour.
  – Bonjour. Je vous appelle pour une réservation.
  – Oui. Pour quelle date ?
  – Pour la semaine prochaine, la nuit de vendredi à samedi.

Page 114
Paris sera toujours Paris!
Dialogue témoin :
– Voilà, je suis à Paris pour le week-end avec mes deux enfants, qu'est-ce que vous me conseillez ?
– Il y a plusieurs possibilités. Le Jardin d'Acclimatation, par exemple.
– Qu'est-ce qu'on peut y faire ?
– Il y a des attractions, un musée, une ferme, des animaux, des spectacles.
– Vous avez les horaires ?
– Nous sommes en juin, c'est ouvert de 10 à 19 h.
1. Allô Martine, je suis à Paris pour quelques jours. Je voudrais faire quelques courses. Qu'est-ce que tu me conseilles ?
2. J'organise un séjour culturel pour une quinzaine de personnes. Est-ce que vous pourriez me faire un programme de visite des musées ?
3. Je voudrais savoir s'il y a une possibilité de faire une visite guidée de Paris en vélo...
4. Est-ce que vous auriez une idée originale pour visiter Paris ?

Séquence 14 : consignes

Page 115
Suivez la consigne !
Dialogue témoin :
Attention ! Ne bougez plus ! Souriez !
1. Prenez une feuille de papier, pliez-la en deux et inscrivez votre nom en haut à gauche.
2. Garez-vous à droite et présentez-moi les papiers du véhicule.
3. – Qu'est-ce que je fais avec le courrier ?
  – Posez-le sur mon bureau, à côté du téléphone.

Page 116
À vos ordres !
Dialogue témoin :
Douanes françaises. Bonjour. Ouvrez votre coffre, s'il vous plaît !

Page 117
Mais comment ça marche ?
1. – J'ai mis ma carte dans le téléphone et ça ne marche pas !
  – Fais voir ! C'est normal, c'est une carte téléphonique prépayée ! Il ne faut pas la mettre dans le téléphone !
  – Qu'est-ce que je fais ?
  – Tu composes le 30 55 !
  – Voilà !
  – Ensuite, tu appuies sur la touche « étoile ».
  – Touche étoile...
  – Maintenant, tu composes le 27 95 547 013.
  – 27 95 547 015.

– Non, 013.
– Voilà ! Et après ?
– Ton numéro.
– 01 44 55 62 34. C'est tout ?
– Non, maintenant tu appuies sur la touche « dièse ».
– La touche « dièse » ?
– Oui, celle qui est à côté du zéro.
– Ah oui !
– Allô maman ?
2. – Comment ça marche ce truc ?
  – Tu mets ta carte dans le téléphone et tu composes le 27 95 547 013. C'est un numéro gratuit.
  – D'accord.
  – Maintenant tu appuies sur « dièse ».
  – Voilà.
  – Tu tapes le numéro de ton correspondant.
  – C'est fait.
  – Et tu appuies sur la touche « étoile ». Ça devrait marcher.

Page 117
Exercice : construction des verbes
1. Tu le connais ?
2. Qu'est-ce que tu lui as dit ?
3. Tu lui as parlé ?
4. Vous lui plaisez beaucoup.
5. Je l'aime beaucoup.
6. Je la rencontre souvent.
7. Je l'ai vu hier.
8. Je lui téléphone souvent.
9. Je vais lui écrire.
10. Je l'adore.
11. Je l'invite ?
12. Elle ? Je la déteste.

Page 117
Phonétique : demande ou reproche ?
1. Tu pourrais m'aider, c'est lourd !
2. Vous pourriez m'aider ? C'est très lourd.
3. Vous pourriez faire attention, jeune homme !
4. Vous ne pourriez pas faire un peu moins de bruit.
5. Vous pourriez au moins me dire merci !
6. Tu pourrais me prêter ton journal ?
7. Tu pourrais dire bonjour en entrant !
8. Tu pourrais me répondre quand je te parle !
9. Tu pourrais me poster cette lettre ?
10. Tu pourrais me téléphoner de temps en temps !

Page 118
C'est interdit!
Dialogue témoin :
– Je voudrais photocopier ce livre en 3 exemplaires !
– C'est sympa pour les auteurs !
1. Mettez ce casque, c'est dangereux !
2. – Gendarmerie, bonjour, vous n'avez pas votre ceinture de sécurité !
  – Mais j'ai une voiture avec air-bag.
3. – Monsieur, vous n'avez pas le droit de stationner là.
  – Mais j'en ai pour 5 minutes.
4. – Vous savez à quelle vitesse vous roulez ?

– 130, 140 ?

– Vous venez d'être contrôlé à 170 km/heure ! Et en plus, il pleut. Par temps de pluie la vitesse est limitée à 90 km/heure.

5. Allez, au lit les enfants, ce film n'est pas pour vous !

6. – Tu as de l'aspirine, Mégane a mal à la tête.

– Oui, mais c'est pour adulte. C'est marqué : ne pas donner aux enfants de moins de 12 ans.

7. – Il est où, mon costume bleu ?

– Dans la machine à laver.

Page 120
L'entretien d'embauche
– Bonjour, Monsieur.

– Salut la compagnie !

– Vous êtes donc intéressé par le poste de mécanicien que nous proposons.

– Ouais… c'est-à-dire que j'ai vu votre annonce dans le journal de lundi et je me suis dit, ben… que peut-être que… je pourrais faire l'affaire.

– Quelles sont vos qualifications ?

– J'ai mon C.A.P. de mécano, j'l'ai eu il y a 5 ans… non 4 ans… oui… non… c'est ça, y'a 5 ans.

– Vous avez une expérience professionnelle, je suppose ?

– J'ai bossé dans un garage. Je suis resté 6 mois… Puis, il y a eu un problème avec le patron. Alors, je suis parti…

– Qu'est ce qui s'est passé ?

– Ben, j'ai pas vérifié les freins et il a eu un accident. Je peux fumer ?

– Je ne préfère pas… C'est un local non-fumeur. Dites-moi ce que vous avez fait ensuite.

– Des petits boulots pendant 2 ans. La galère. Vraiment, je ne peux pas me griller une petite cigarette ? Dites-donc, c'est pas marrant, votre boîte !

– Vous savez, ici, il y a des règles.

– Ensuite, j'ai trouvé une place dans la banlieue de Grenoble. C'était bien, mais il y a eu un licenciement économique. Alors, je suis parti.

Page 120
Exercice : verbes pronominaux à l'impératif
1. Tu es prêt ? On va être en retard !

2. Debout les enfants ! Il est sept heures !

3. Ne reste pas debout !

4. Vous pouvez enlever vos vêtements, je vais vous examiner.

5. Éteins la télé Carole ! Il est l'heure d'aller au lit !

6. Tu as les mains sales !

7. Venez plus près de moi !

8. Silence !

9. Voilà ! C'est ici !

10. Ce n'est pas le moment de dormir !

Page 121
Fiche de renseignement
Dialogue témoin :

– *Est-ce que vous pourriez faire une petite fiche pour expliquer aux candidats ce qu'ils doivent faire ?*

– *Oui, Monsieur. Qu'est-ce que je mets sur la fiche ?*

– Dites-leur de passer au secrétariat avant le 6 juin, entre 9 heures et midi. Précisez qu'ils doivent remplir la fiche d'identité lisiblement avec le nom et le prénom en majuscules. Dites-leur de joindre une photo d'identité. Ensuite, qu'ils doivent déposer leur dossier au secrétariat et demander un rendez-vous, qu'ils doivent apporter leur curriculum vitae pour le rendez-vous.

– C'est tout ?

– Non, ils doivent aussi joindre un chèque de 50 euros pour les frais de dossier. Voilà, c'est tout.

Page 122
N'oublie pas d'arroser les plantes !
Dialogue témoin :

– *Allô, Patrick, salut.*

– *Salut Alain.*

– *Comme convenu, je te laisse mon appartement à partir du 15.*

– *Merci, c'est sympa, tu peux m'expliquer…*

– *Oui, j'y ai pensé, tu as un stylo ?*

– *C'est bon, vas-y !*

– Alors, tu prendras les clés chez la concierge, Mme Federico, elle est prévenue.

– D'accord.

– Pour remettre l'électricité, tu appuies sur le bouton rouge du disjoncteur, c'est dans l'entrée. Pour l'eau, tu ouvres le robinet sous l'évier de la cuisine, tu rebranches le frigo.

– OK.

– Ah oui, la machine à laver, il faut tirer sur le programmateur qui est à droite. Je crois que c'est tout. Ah, si, n'oublie pas d'arroser les plantes deux fois par semaine et de relever le courrier.

– Ben oui, bien sûr. Et en partant, qu'est-ce que je fais ?

– Quand tu pars, tu coupes l'eau et l'électricité et tu donnes les clés à Mme Federico.

– Bon, c'est parfait, merci encore, à bientôt.

Séquence 15 : reprise, anticipation

Page 123
Mais qu'est-ce qu'ils disent ?
1. – Allô ? Monsieur Martin est là, il voudrait vous voir…

– Ah non, pas maintenant, je dois partir dans 5 minutes. Je dois aller chercher Gisèle à la gare. Proposez-lui un rendez-vous pour demain après-midi ou pour jeudi matin.

– Bien Monsieur.

2. – Allô ? Ah Bonjour Gisèle. Tu es où ?

– …

– Bon, tu arrives à quelle heure ?

– …

– D'accord, on ira te chercher. À tout à l'heure !

3. – Le TGV 6229 à destination de Lyon-Perrache, prévu à l'arrivée à 16 h 42 va entrer en gare avec 5 minutes de retard. Veuillez nous excuser pour ce léger retard.

4. – Allô ? C'est toi Serge ?

– …

– Attends-nous, on arrive !

5. – C'est qui ?

– C'est ton frère, il est à la gare.

– Dis-lui qu'on arrive tout de suite.

6. – C'était qui ?

– Ta sœur. Elle est dans le train. Elle arrive à 17 h 25.

– Oh zut ! J'avais complètement oublié ! Tu lui as dit qu'on allait la chercher ?

– Non. Je lui ai dit de te rappeler à la fin du match.

– Tu lui as dit ça ?

– Non, je plaisante.

– Tu pourrais aller à la gare ?

– Je suppose que tu plaisantes…

7. – Tu es sûre de l'horaire ?

– Attends ! Écoute !

– Je vais demander aux renseignements. Zut, il n'y a personne !

– Tu entends ? Ils disent que le train de Marseille a 5 minutes de retard.

– Je vais demander à un contrôleur !

– Je te dis que le train a 5 minutes de retard !

– Comment tu sais ça ?

– J'ai deux oreilles, moi !

8. – Monsieur Nicod me dit que ce n'est pas possible maintenant, il a un rendez-vous d'affaires. Est-ce que vous pouvez revenir demain matin ou jeudi après-midi ?

– Plutôt jeudi.

– Jeudi 15 h ? Ça vous convient ?

– Parfait !

Page 124
Qu'est-ce qu'il dit ?
Dialogue témoin :

– *Tiens il y a une carte postale de Gaston !*

– *Qu'est-ce qu'il raconte ?*

1. – Qu'est-ce que c'est ?

– Le Trésor public.

– Qu'est-ce qu'ils disent ?

2. – Tu as commandé quelque chose à la Redoute ?

– Oui, qu'est-ce qu'ils disent ?

Page 125
Message transmis !
1. – Monsieur Richard est là. Il n'a pas rendez-vous, mais c'est urgent. Qu'est-ce que je lui dis ?

– Dites-lui d'attendre, je le prends dans un quart d'heure.

2. – Le représentant de la maison Cartier est là. Qu'est-ce que je lui dis ?

– Demandez-lui s'il peut repasser demain, je suis débordé. Faites-voir votre montre ! À votre place, je l'enlèverais.

3. – J'ai Monsieur Tellier au téléphone. Qu'est-ce que je lui dis ?

– Ah, Tellier. Très bien. Demandez-lui d'expédier la commande le plus vite possible.

4. – J'ai Marc, de la cafétéria au téléphone. Il demande si on a besoin de quelque chose.

– Demandez-lui de nous monter 3 sandwichs jambon-beurre-fromage.

5. – Si vous voulez bien patienter un quart d'heure, le docteur Moreau va vous prendre tout de suite après.
   – Je vous remercie.

6. – Je suis désolée, M. Balandier est débordé, est-ce que vous pourriez repasser demain ?
   – Très bien. Tiens vous avez perdu votre montre ?

7. – Allô, Monsieur Tellier ? Madame Duterre vous demande d'expédier la commande le plus vite possible.

8. – Allô Marc ? Tu peux nous monter 3 sandwichs saucisson-beurre ?

Page 126
Le bon candidat

1. – Vous avez quel âge ?
   – 30 ans.
   – Votre niveau d'études ?
   – J'ai une licence en sciences économiques.
   – Vous parlez anglais ?
   – Oui, j'ai passé un an et demi à Yale, aux États-Unis.
   – Dans quelle entreprise avez-vous travaillé ?
   – J'ai travaillé 2 ans chez Alsthom, à Belfort, comme adjoint au directeur des Relations humaines.

2. – Vous avez quel âge Monsieur Legrand ?
   – 47 ans.
   – Quel est votre parcours professionnel ?
   – J'ai travaillé 5 ans dans une usine de plastique comme ouvrier. Puis je suis devenu contremaître. Ensuite, j'ai passé 8 ans en Algérie comme directeur adjoint d'une filiale de mon entreprise. Je suis revenu en France et j'ai travaillé 12 ans comme cadre dans l'entreprise Sageplast.
   – Vous avez des connaissances en informatique ?
   – Oui, j'ai toujours mon ordinateur portable avec moi.

3. – Vous avez quels diplômes ?
   – J'ai une licence d'allemand.
   – Votre âge ?
   – 22 ans.
   – Vous avez une expérience professionnelle ?
   – Non, je n'ai pas encore travaillé.
   – Vous êtes disponible pour partir à l'étranger ?
   – Oui, j'aime voyager. J'ai passé un an à Katmandou.
   – Vous parlez anglais ?
   – Non, pas du tout.

Page 126
Messages
Dialogues témoins :
– Allô ! Je voudrais parler à Madame Petit, c'est de la part d'Isabelle Lebreton.
– Elle n'est pas là pour l'instant. Elle revient en fin d'après-midi.
– Ce n'est pas grave, je la rappellerai.

– Bonjour Julie. Ouf ! Quelle journée ! Il y a des messages pour moi ?

1. – Allô ! Ici Maurice Marchand. Je voudrais parler à Madame Petit.
   – Elle est en réunion.
   – Voilà, je dois me rendre à Londres pour 24 heures. Je passerai la voir à mon retour.
   – Très bien, c'est noté.

2. – Allô ? C'est M. Petit. Vous pouvez dire à ma femme que je rentrerai tard ce soir. J'ai un repas d'affaires.

3. – Allô ? C'est Sophie. Maman est là ?
   – Elle est en réunion.
   – Je suis dans le train. J'arriverai à 19 h 54, gare Montparnasse. Est-ce qu'elle peut venir me chercher ?
   – Bien, je lui dirai.

4. – Bonjour ! Je voudrais voir Mme Petit.
   – Je suis désolée mais elle est en réunion.
   – Ce n'est pas grave, je repasserai demain. Tenez, voilà ma carte. Pierre Leroy, je suis le directeur de Pub 2000.

5. – Allô ? Ici le garage Petitjean. La voiture de Mme Petit sera prête à 6 heures.

6. – Allô, vous pouvez me passer Simone ? De la part de Roger.
   – Elle n'est pas là pour l'instant, mais je peux prendre un message.
   – Je serai un peu en retard pour le déjeuner de demain. Je dois voir un client en banlieue.

7. – Allô ! C'est encore Sophie. Finalement, je prendrai un taxi.

Page 127
Adjugé ! Vendu !

1. Voilà, ce magnifique tableau du peintre Eugène Lacroix, une très belle nature morte, très contemporaine, intitulée *Déjeuner du matin*, représentant une boîte de sardines, une boîte de cassoulet ouverte et un verre de vin à moitié vide. Mise à prix 100 euros. 110 à gauche ! 200 ! 300 ! Mille euros pour le monsieur à lunettes ! Qui dit mieux ? Mille euros une fois, mille euros deux fois, trois fois ! Adjugé ! Vendu ! Félicitations Monsieur !

2. Maintenant, je mets en vente une paire de lunettes qui a appartenu à Bernard Depardioux. Il s'agit d'une paire de lunettes de soleil. Le verre droit est cassé, suite à un accident de moto. Mise à prix 50 euros. Je vous rappelle que le bénéfice de la vente va aux Restaurants du cœur. 60 euros à ma droite, 70 pour la charmante jeune femme blonde au chapeau jaune ! Qui dit mieux ? Personne ? 70 euros une fois, deux fois, trois fois ! Adjugé ! Vendu ! Bravo Mademoiselle. Vous êtes sans doute une admiratrice de Bernard Depardioux ?

3. Je vous propose une magnifique montre, fabriquée sur le modèle du célèbre tableau de Salvador Dali, *Les montres molles*, mise à prix 500 euros. Je précise que cette montre marche parfaitement, mais que ses aiguilles tournent à l'envers. 600 euros à ma droite, 700, 800, 2000 ! Qui dit mieux ! 2000 pour le monsieur à moustaches. Vous ressemblez un peu à Dali Monsieur ! 2000 une fois, deux fois, trois fois ! Adjugé ! Vendu ! Félicitations Monsieur ! C'est un objet utile quand on veut arriver en avance à ses rendez-vous !

Page 127
Exercice : quantifier

1. – Il a quel âge le frère de Patrick ?
   – Oh, une vingtaine d'années, je crois.

2. En France, l'école est obligatoire jusqu'à 16 ans.

3. Le match s'est déroulé devant quelques milliers de spectateurs.

4. Je voudrais une douzaine d'huîtres.

5. – Tiens ! Je t'ai apporté des fleurs !
   – Oh, merci, c'est gentil.

6. – Tu reviens quand ?
   – Dans une quinzaine de jours.

7. – C'est quand ton anniversaire ?
   – Dans 4 ans. Je suis née un 29 février.

8. – Madame Legouedic a été élue députée avec 18 783 voix contre 14 733 pour son adversaire, Monsieur Lepinsec.

Page 127
Exercice : le futur

1. Vous pourriez m'aider ?
2. Tu seras là à midi ?
3. Est-ce qu'ils seront prêts ?
4. Est-ce que vous auriez deux minutes ?
5. Vous n'aurez pas le temps !
6. Vous aimerez ce film.
7. Vous adoreriez ce pays.
8. Demain, il n'y aura pas cours.
9. Tu pourrais faire attention !
10. Nous arriverons vers 14 heures.
11. Vous pourrez faire ça avant midi ?
12. Je ne pourrai pas venir.

Page 128
Je crois bien que j'ai fait une « gaffe »
Un jour, j'étais à un vernissage, et je dis à mon voisin en lui montrant un tableau : « Mon fils qui a six ans dessine mieux que ça ! ». Un peu plus tard, je me suis aperçue que mon voisin était en réalité l'auteur du tableau ! Pour me faire pardonner, j'ai acheté le tableau !

Page 129
Le mobile
– Je voudrais acheter un téléphone portable.
– En ce moment, je vous conseille plutôt le réseau SFR, les tarifs sont très intéressants. Nous avons deux modèles à proposer : le *Portabilis* et le *Cinetico*.
– Quelle est la différence ?
– Le *Portabilis*, c'est un modèle de base. Le *Cinetico* est plus léger. C'est le plus petit du monde. Vous voyez, il tient dans la main. Vous voyagez souvent à l'étranger ?

– De temps en temps.
– Le *Cinetico* est un modèle bi-bande.
– Bi-bande ?
– Cela permet d'avoir accès à d'autres réseaux qui utilisent un système de fréquence différent des réseaux français. Vous avez un ordinateur ?
– Oui.
– Et vous utilisez Internet ?
– Oui.
– Le *Cinetico* vous permet de vous connecter sur Internet. De recevoir des méls directement sur votre portable. En plus, il est équipé d'un vibreur.
– Un vibreur ?
– Cela vous évite de déranger tout le monde, quand on vous appelle, il émet une vibration. Pour 20 euros de plus, vous pouvez avoir la montre vibrante qui vous informe quand vous recevez un appel.
– On n'arrête pas le progrès !
– Je ne vous le fais pas dire !

Séquence 16 : propositions

Page 131
Records à battre !
– On pourrait parcourir la plus grande distance à patins à roulettes !
– Ou alors, on pourrait fabriquer la plus grande pizza du monde !
– Ou le plus grand couscous !
– Non, ils l'ont déjà fait en Tunisie.
– Alors, on pourrait faire le plus grand saut à l'élastique du monde !
– Vous ferez ça sans moi, j'ai le vertige.
– Et si on faisait pousser le plus petit bonsaï du monde ?
– Ah oui, ça c'est une bonne idée.

Page 132
Propositions en tous genres
Dialogue témoin :
Et si on changeait de voiture ?
1. – On va au restaurant ce soir ?
   – Oh, oui ! tu connais *La belle assiette* ?
2. – Tu pourrais m'accompagner au garage ? Je dois laisser ma voiture avant 8 heures.
   – Oui, je travaille à 9 heures.
3. – Une soirée au théâtre ?
   – Ah oui !
   – J'étais sûr que ça te ferait plaisir.
4. Bonsoir, voici la carte, vous voulez un apéritif ?
5. Tiens, Adrien, tu as été très gentil, prends un chocolat.

Page 132
Alors, c'est oui ou c'est non ?
1. – Je pourrais vous poser quelques questions ? C'est pour un sondage.
   – Excusez-moi, mais je suis pressé.

2. – On va au ciné ce soir ?
   – Ah non, je suis fatiguée.
3. – Tu viens avec moi à la piscine ?
   – Pourquoi pas ? Tu y vas à quelle heure ?
   – Vers 11 heures.
   – D'accord.
4. – Et si on prenait quelques jours de vacances en Grèce ?
   – Ça, c'est une bonne idée.
5. – Tu pourrais me prêter ta voiture le week-end prochain ?
   – Pas question ! La dernière fois, tu as perdu les clés.
6. – On pourrait aller au restaurant ce soir, je n'ai pas envie de faire la cuisine.
   – Oui, pourquoi pas ?
7. – Et si on invitait les Girardot ?
   – Les Girardot ? Ah non ! Ils sont pénibles.

Page 133
Phonétique : enthousiasme, ironie
1. Ah ! Julie, elle est intelligente !
2. Ah oui, c'est malin !
3. C'est très drôle !
4. Et bien bravo !
5. Géniale, ta copine…
6. Intelligent, ce garçon.
7. Il est vraiment intelligent !
8. C'est vraiment extra !
9. C'est super !
10. Bravo ! C'est du beau travail !

Page 134
Attitudes
Dialogue témoin :
– Maman, je peux regarder la télé ?
– Non. Pas question ! Il y a école demain.
Tu vas au lit ! Il est 8 heures et demie.
1. – Je peux fumer ?
   – Vous êtes aveugle ? C'est non-fumeur, ici !
2. – Vous pourriez me dire où est la gare, s'il vous plaît ?
   – Vous ne savez pas ? Ah ! vous êtes étranger… Attendez, je vais avec vous, je vais vous montrer où c'est.
3. – Est-ce que je pourrais utiliser la voiture demain matin ?
   – Ah non ! J'en ai besoin toute la journée.
   – Toute la journée ? Vraiment ?
   – Bon… écoute… Je peux aller au travail en bus. Mais c'est bien pour te faire plaisir.
4. – Bonjour, Claude. Je peux entrer ?
   – Ah ! Mon vieux René ! Comment tu vas ? Je suis vraiment content de te voir !
5. – Tu veux que je te présente Jacques Champion ?
   – Je ne connais pas ce monsieur et je ne veux pas le connaître.

– Tiens, justement ! le voilà !
– Bonjour, je suis Jacques Champion, votre nouveau directeur.
– Bonjour Monsieur le directeur ! Enchanté de faire votre connaissance !
6. – Adrien ! Dis bonsoir à tout le monde et va te coucher !
   – Oh non ! Pas tout de suite !
7. – Vous avez deux francs, Monsieur, s'il vous plaît ?
   – Vous ne pouvez pas aller travailler, non ?

Page 134
Exercice : demande / proposition
1. Vous pourriez me passer votre portable ? Le mien n'a plus de batterie.
2. Vous pouvez m'aider ?
3. Tiens, dimanche, on pourrait aller voir l'exposition Matisse ?
4. Vous pouvez rester un peu plus tard ce soir ? J'ai un dossier urgent.
5. Tu pourrais me prêter 1 000 francs ?
6. Tu peux venir au cinéma avec moi demain ?
7. Vous pouvez m'aider à déplacer le magnétoscope ?
8. On pourrait se retrouver au théâtre à 9 heures ?
9. Tu pourrais m'acheter *Le Monde* ?
10. Vous pouvez vous libérer demain à midi ?

Page 135
Demandez le programme !
1. Nous commencerons la séance par quelques exercices de relaxation, nous continuerons avec un travail de musculation et nous terminerons par un petit footing.
2. Nous visiterons d'abord la grande salle du château, ensuite nous découvrirons la chambre du roi. Vous pourrez enfin admirer les jardins, dessinés par Lenôtre. Veuillez me suivre, Mesdames et Messieurs.
3. Au début du cours, je vous présenterai un petit film de 5 minutes sur le musée d'Orsay. Après cela, nous étudierons quelques œuvres significatives de l'impressionnisme. Pour terminer, je vous donnerai un petit travail à réaliser pour la semaine prochaine.
4. Dans un premier temps, vous ne perdrez pas beaucoup de poids et vous serez un peu fatigué. Par la suite, vous perdrez environ 2 ou 3 kilos par semaine. À la fin, c'est-à-dire dans un mois environ, vous pourrez manger normalement en évitant les matières grasses.

Table de références des textes et crédits photographiques

Couverture : J. Barrat/Pix (1) ; Edimedia (2) ; P. Coll/AGE/SDP (3) ; R. Gaillarde/Gamma (4) ; Giraudon (5).

Intérieur : p. 9 : De Sazo/Rapho (a) ; Matsumoto/Explorer (b) ; J.F. Fourmond/Urba Images (c) ; D. Ball/Diaf (d) ; J. Brun/Explorer (e) ; D. Thierry/Diaf (g) ; H. Hartmann/Image Bank (h) - **p. 10 :** N. Alain/Corbis Sygma (h) ; Marco Polo (a) ; P.P. Marcou (b) ; Gettyone (c) ; Juan Mora (d) - **p. 11 :** T. Borredon/Explorer (b) ; Stills (mc) ; E. Felices Gonzales ANA (b) ; A. Wolf/Explorer (c) - **p. 12 :** G. Uferas/Rapho (hd) ; Ginées/Sipa Press (bd) - **p. 16 :** S. Reggardo/Urba Images (hd) ; Palais/Sipa Image (a) ; Le Bacquer/Explorer (b) ; Pictor (c) ; M. Gile/Rapho (d) ; Mauritius/SDP (e) ; G. Perrot/Explorer (f) - **p. 17 :** Gettyone (hd) ; N. Atherton/Gettyone (a) ; Mauritius/SDP (b) ; Pedro Augusto Joly Guarita (c) ; G. Grigoriou/Gettyone (d) - **p. 19 :** CFD/A. Le Bacquer/Explorer (1) ; P. Savin/Sygma (2) - **p. 23 :** Couv. Libération : P. Killoffer (dessin), J. Demarthon/AFP (photo) ; Couv. Die Zeit : Nordphoto (1), Schfmann/Imago (2) ; couv. El País : Associated Press ; Ed. du Seuil (mg) ; Pocket (mc) ; Hachette (mg) ; Christophe L (bg) ; Roger Viollet (1,2,3,5) ; Giraudon (4) ; Explorer/Silberstein (6) - **p. 24 :** SNCF-CAV/JJD (mg) - **p. 25 :** Société Générale (hd) - **p. 31 :** Christophe L - **p. 34 :** Carrefour (hd) ; B. Minier/Diaf (a) ; TCG/Sipa Image (b) ; F. Hache/Explorer (c) ; A. Soldeville/Rapho (d) ; T. Jouanneau/Sygma (e) - **p. 36 :** P. Roy /Explorer (hd) ; F. Ducasse/Rapho (mg) ; F. Achdou/Urba Images (md) ; G. Gsell/Diaf (bg) ; G. Sioen/Rapho (bd) - **p. 37 :** L. Fleury/Explorer (hd) - **p. 41 :** D. Durfee/Gettyone (hg) ; P. Poulides/Gettyone (hd) ; R. Braine/Gettyone (bg) ; A. Diesendruck/Gettyone (bd) - **p. 42 :** SOS Racisme (hg) ; Photo News/Gamma (a, c) ; Merillon/Stevens/Gamma (b) ; A. Benainous/Gamma (b1) ; S. Bassouls/Sygma (b2) ; N. Ruidu/Gamma (b3) ; R. Corlouer/Stills (b4) - p. 44 : Banque de France ; Monnaie de Paris - **p. 45 :** Réponse à Tout - **p. 56 :** Rustica S.A. (a) ; Archéologia (b) ; Hachette Filipacchi (c) ; Beaux Arts Magazine (d) ; Presses des Auteurs Associés (e) ; Lire (f) - **p. 62 :** Le Point - **p. 69 :** Borredon/Explorer (a) ; J.F. Roussier/Sipa Press (b) ; G. Beauzee/Urba Images (c) - **p. 70 :** Delimage/Explorer (a) ; P. Lissac/Explorer (b) ; D. Basler/Gettyone (c) - **p. 71 :** J. Raga/Explorer (a) ; P. Frilet/Sipa Image (b) ; P. Wysocki/Explorer (e) ; S. Coupe/SDP (f) - **p. 78 :** Gromik/Sipa Press (a) ; P. Garnier/S.D.P. (b) ; Romilly Lockyer/Image Bank (c) ; Pavlovsky/Rapho (d) ; Zepha/Hoaqui (hd) ; Pictor (bm) - **p. 83 :** F. Jalain/Explorer (a) ; Roger Viollet (b) ; Diaf/Eurasia Press (c) ; R. Doisneau/Rapho (d) ; coll. Felix Potin/Sipa Press (e) - **p. 84 :** Jarocinski/Urba Images - **p. 85 :** J. Bartschi/Urba Images - **p. 88 :** Die Welt, Berlin/Courrier International, n° 484, 10-16-02-2000 (mg) ; De Standaard, Bruxelles/Courrier International, n° 490, 23/03/2000 (mc) ; Sydney Morning Herald/Courrier International, n° 473, 25/11-1/12/1999 (bg) ; New Scientist, Londres/ Courrier International, n° 473, 25/11-1/12/1999 (bm, bd) - **p. 93 :** F. Achdou/Urba Images - **p. 96 :** TF1 International - **p. 98 :** Roger Viollet (1, 2, 4) ; S. Arnel/Stills (3) - **p. 101 :** C. Molyneux/Image Bank - **p. 102 :** E. Mondial/Sipa Press (hm) ; Christophe L (hg) - **p. 103 :** R. Gaillarde/Gamma - **p. 104 :** Doisneau/Rapho - **p. 105 :** Maison Jean Vilar ; Archives/AFP (bd) ; Doisneau/Rapho - **p. 107 :** Cegetel/SFR (a) ; RATP (b) - **p. 114 :** RATP (textes, e) ; F. Jalain/Explorer (a) ; G. Bruneel/Explorer (b) ; P. Forget/Explorer (d) - **p. 117 :** P. Ughetto/SDP (hd) - **p. 130 :** Le Point - **p. 131 :** © Guinness World Records, extrait du Guinness World Records, 2001, Paris - **p. 136 :** P. Ward/ANA (hg) ; P. Royer/Explorer (hd) ; R. Gaillarde/Gamma (mg) ; Pictor (bg) ; P. Somelet/Diaf (bd) - **p. 139 :** Nector Salas/Ed. Seuil.

Nous avons recherché en vain les auteurs ou les ayants droit de certains documents reproduits dans ce livre. Leurs droits sont réservés aux Éditions Didier.

Photographes :
Anna Vetter/Ed. Didier : p. 11 (ha, ba), p. 19 (bg), p. 21, p. 23 (bd), p. 24 (bd), p. 25 (c, d), p. 29, p. 37, p. 38, p. 53, p. 90, p. 92, p. 101 (a), p. 107 (d).
Rémy Buttigieg-Sana/Ed. Didier : p. 9 (f), p. 104, p. 114 (c).

Dessinateurs :
Charles Villoutreix : pages 13,15, 26, 35, 39, 47, 48, 57, 58 (bas), 62, 67, 91, 99, 107,124,132 (haut).
Dom Jouenne : pages 30, 40, 49, 51, 52, 60, 61, 64, 66 (haut), 71, 73, 77, 79, 88, 89, 90, 97, 101, 106, 111, 112, 115, 119, 120, 121, 123, 124, 125, 133, 135, 137.
Didier Crombez : pages 14, 18, 20, 22, 28, 29, 32, 41, 45, 50, 54, 56, 58 (haut), 63, 65, 66 (bas), 68, 74, 82, 86, 87, 94, 100, 109, 114, 116, 122, 126 (haut), 127, 128, 132 (bas), 134, 138.
Rony Turlet : pages 2, 19, 24, 27, 55, 72, 80, 81, 96, 108, 110, 126 (bas).
Tableau page 29 : Yves Hasselmann.

Imprimé en France en mai 2003 par I.M.E. - 25110 Baume-les-Dames
Dépôt légal : 21159-4988/04